Não nascemos prontos!

Dados Internacionais de Catalogação na Publicação (CIP)
(Câmara Brasileira do Livro, SP, Brasil)

Cortella, Mario Sergio
    Não nascemos prontos! : Provocações filosóficas / Mario Sergio Cortella. 19. ed. – Petrópolis, RJ : Vozes, 2015.

7ª reimpressão, 2017.

ISBN 978-85-326-3286-9

1. Ensaios brasileiros 2. Filosofia
I. Título.

06-0016   CDD-100

Índices para catálogo sistemático:
1. Filosofia 100

Mario Sergio Cortella

Não nascemos prontOS!

provocações
filosóficas

VOZES
NOBILIS

© 2006, Editora Vozes Ltda.
Rua Frei Luís, 100
25689-900 Petrópolis, RJ
www.vozes.com.br
Brasil

Todos os direitos reservados. Nenhuma parte desta obra poderá ser reproduzida ou transmitida por qualquer forma e/ou quaisquer meios (eletrônico ou mecânico, incluindo fotocópia e gravação) ou arquivada em qualquer sistema ou banco de dados sem permissão escrita da editora.

CONSELHO EDITORIAL

Diretor
Gilberto Gonçalves Garcia

Editores
Aline dos Santos Carneiro
Edrian Josué Pasini
Marilac Loraine Oleniki
Welder Lancieri Marchini

Conselheiros
Francisco Morás
Ludovico Garmus
Teobaldo Heidemann
Volney J. Berkenbrock

Secretário executivo
João Batista Kreuch

Editoração: Maria da Conceição B. de Sousa
Diagramação: Victor Mauricio Bello
Capa: Lilian Queiroz/2 estúdio gráfico

ISBN 978-85-326-3286-9

Editado conforme o novo acordo ortográfico.

Este livro foi composto e impresso pela Editora Vozes Ltda.

Sumário

Prefácio, 7

Não nascemos prontos!, 11

Está faltando espanto!, 15

Cuidado com a tacocracia..., 19

O naufrágio de muitos internautas, 23

Memória fugaz, história veloz, 27

Nada do que é humano me é estranho?, 31

Descanse em paz?, 35

O futuro saqueado, 39

Memórias de Marguerite..., 43

A mídia como corpo docente, 47

Saudável loucura, 51

Antropolatria arrogante, 55

Dinheiro, pra que dinheiro?, 59

Se você parar para pensar..., 63

Enquanto há vida..., 67

A ambígua solidão, 71

O triunfo da morbidez?, 75

Quem avisa amigo é..., 79

A ameaçadora consciência letárgica, 83

A resignação como cumplicidade, 87

Os dentes do tempo, 91

Janus à espreita, 95

Salutar nostalgia, 99

Quiproquó, 103

Douradas pílulas, 107

Vergonhas amargas, 111

Humana armadilha, 115

Sábia consciência, 119

Destino, um confortável desejo, 123

Alegria: as bruxas continuam soltas..., 127

Um persistente cio, 131

Prefácio

Quando recebi a "missão" de escrever o prefácio deste livro, logo me veio à cabeça o alerta que minha querida avó Emília, mãe do autor, frequentemente exclama quando algo está por vir: "Ai, Mario Sergio". Expressão que para mim significa muito mais do que um texto a ser elaborado. Trata-se aqui de 28 anos de convivência com um pai sempre amoroso e educador, que desde a minha infância já citava grandes filósofos para enriquecer o nosso conhecimento em casa.

Pois bem, aceitei com honra e ansiedade o desafio. Escrever também é um dos meus maiores prazeres, desenvolvido já no curso de Publicidade e Propaganda que fiz na PUC-SP, para o orgulho de meu pai, professor daquela instituição há 30 anos.

Como publicitário, seria mais fácil desenvolver um *release* ou chamada para a venda do livro do que preparar um prefácio. O título não poderia ser mais adequado: "Não nascemos prontos!", por isso, sinto-me à vontade para escrever.

Ao iniciar a leitura das 31 pensatas, resgatei momentos de toda a minha infância, não somente como filho, mas principalmente como pupilo da filosofia; afinal, um dos livros que ganhei de meu pai não foi só *Pedro e o lobo* e, sim, *O mundo de Sofia*.

A deliciosa filosofia e suas reflexões são tão confortantes e transtornantes como quando meu pai acordava a mim e aos meus irmãos para um vasto café da manhã ao som de *Cavalgada das Valquírias*, de Wagner.

Quando terminei de ler este livro, percebi que tinha já familiaridade com muitos trechos que antes escutara em algumas de suas palestras, ou em trechos de seus *Diálogos impertinentes* na TV PUC, ou, ainda, em nossos almoços (quando eventualmente me obrigava a dar um sorriso de entendimento óbvio seguido de uma rápida consulta a um dicionário etimológico ou livro de filosofia).

Impressionei-me com o fato de esta leitura abrir tantos questionamentos sobre assuntos tão relevantes em nossas vidas. Não apenas questionamentos, mas também muito aprendizado, a partir de indagações que passeiam desde a era pré-cristã até a nossa modernidade, sem perder fôlego pedagógico.

A minha sensação de realização vem junto com um incômodo: Acabei o livro, e agora? Queria que fosse além, preciso de uma continuação, tenho que esclarecer muito do que li e agora pairam dúvidas. Muitas delas eu não conseguiria resolver nem mesmo com Sócrates ou Platão, e é por isso que estas são provocações filosóficas, pois causam um grande desejo em seguir em frente, ler, ler e ler para desvendar muitos temas.

Não há outra saída, senão pensar. Pensar sobre as reflexões que este livro traz, publicadas ao longo de alguns anos no caderno Equilíbrio da *Folha de S. Paulo*, e agora atualizadas.

Mas vale a pena matar o tempo com estas pensatas? Sem dúvida, pois o tempo não se mata, o tempo se vive! Deleite-se com as dúvidas. Não se intimide! Perguntas geram conhecimento.

Uma das melhores formas de se viver o tempo é ao lado de um bom livro. Como sempre diria um publicitário: Aproveite! Viva seu tempo com esta ótima leitura!

André Cortella

Não nascemos prontos !

O sempre surpreendente Guimarães Rosa dizia: "o animal satisfeito dorme". Por trás dessa aparente obviedade está um dos mais fundos alertas contra o risco de cairmos na monotonia existencial, na redundância afetiva e na indigência intelectual. O que o escritor tão bem percebeu é que a condição humana perde substância e energia vital toda vez que se sente plenamente confortável com a maneira como as coisas já estão, rendendo-se à sedução do repouso e imobilizando-se na acomodação.

A advertência é preciosa: não esquecer que a satisfação conclui, encerra, termina; a satisfação não deixa margem para a continuidade, para o prosseguimento, para a persistência, para o desdobramento. A satisfação acalma, limita, amortece.

Por isso, quando alguém diz "fiquei muito satisfeito com você" ou "estou muito satisfeita com teu trabalho", é assustador. O que se quer dizer com isso? Que nada mais de mim se deseja? Que o ponto atual é meu limite e, portanto, minha possibilidade? Que de mim nada mais além se pode esperar? Que está bom como está? Assim seria apavorante; passaria a ideia de que desse jeito já basta. Ora, o agradável é quando alguém diz: "teu trabalho (ou carinho, ou comida, ou aula, ou texto, ou música etc.) é bom, fiquei muito insatisfeito e, portanto, quero mais, quero continuar, quero conhecer outras coisas".

Um bom filme não é exatamente aquele que, quando termina, ficamos insatisfeitos, parados, olhando, quietos, para a tela, enquanto passamos letreiros, desejando que não cesse? Um bom livro não é aquele que, quando encerramos a leitura, o deixamos um pouco apoiado no colo, absortos e distantes, pensando que não poderia terminar? Uma boa festa, um bom jogo, um bom passeio, uma boa cerimônia não é aquela que queremos que se prolongue?

Com a vida de cada um e de cada uma também tem de ser assim; afinal de contas, não nascemos prontos e acabados. Ainda bem, pois estar satisfeito consigo mesmo é considerar-se terminado e constrangido ao possível da condição do momento.

Quando crianças (só as crianças?), muitas vezes, diante da tensão provocada por algum desafio que exigia esforço (estudar, treinar, emagrecer etc.) ficávamos preocupados e irritados, sonhando e pensando: Por que a gente já não nasce pronto, sabendo todas as coisas? Bela e ingênua perspectiva. É fundamental não nascermos sabendo e nem prontos; o ser que nasce sabendo não terá novidades, só reiterações. Somos seres de insatisfação e precisamos ter nisso alguma dose de ambição; todavia, ambição é diferente de ganância, dado que o ambicioso quer mais e melhor, enquanto que o ganancioso quer só para si próprio.

Nascer sabendo é uma limitação porque obriga a apenas repetir e, nunca, a criar, inovar, refazer, modificar. Quanto mais se nasce pronto, mais se é refém do que já se sabe e, portanto, do passado; aprender sempre é o que mais impede que nos tornemos prisioneiros de situações que, por serem inéditas, não saberíamos enfrentar.

Diante dessa realidade, é absurdo acreditar na ideia de que uma pessoa, quanto mais vive, mais velha fica; para que alguém quanto mais vivesse mais velho ficasse, teria de ter nascido pronto e ir se gastando...

Isso não ocorre com gente, e sim com fogão, sapato, geladeira. Gente não nasce pronta e vai se gastando; gente nasce não pronta, e vai se fazendo. Eu, no ano que estamos, sou a minha mais nova edição (revista e, às vezes, um pouco ampliada); o mais velho de mim (se é o tempo a medida) está no meu passado e não no presente.

Demora um pouco para entender tudo isso; aliás, como falou o mesmo Guimarães, "não convém fazer escândalo de começo; só aos poucos é que o escuro é claro"...

Está faltando ! espanto

Começos do Terceiro Milênio! Profusão exuberante de tecnologia, patamares científicos inéditos, resultados econômicos estrondosos, produção magnífica de bens de consumo. Olhando só para as conquistas, tudo é superlativo!

Nos últimos 50 anos tivemos mais desenvolvimento inventivo do que em toda a história anterior da humanidade; em outras palavras: aceitando a hipótese de que há aproximadamente 40.000 anos somos *homo sapiens sapiens*, apenas nas 5 décadas mais recentes acumulamos mais estruturas de conhecimento e intervenção no mundo do que em todos os 39.950 anos anteriores.

A cada dia nos deparamos com novas invenções, novos produtos, novos modos de fazer e interpretar;

em cada um desses dias precisamos nos acostumar com as novidades, aprender a lidar com elas e, mais do que tudo, acabamos por nos submeter ao ritmo que elas impõem. De alguma maneira, essa overdose da novidade induz a uma certa insensibilização dos sentidos e dos sentimentos, de modo que se acaba por considerar todo esse redemoinho cotidiano como sendo corriqueiro e "normal".

Parece até que uma nova e tácita norma social despontou: fica proibido manifestar admiração exagerada ou rejeição camuflada pela existência de produtos resultantes das robustas vitórias da racionalidade técnica e mercantil. Se, até há pouco, o pedantismo consumista se encarnava na posse de bens diferenciais ("Eu tenho isto e você não tem; então, sou melhor que você"), agora, mudou o foco. A superioridade daqueles que já têm de tudo se expressa não mais na posse de um objeto, mas, antes, na simulação de que tal objeto é familiar e, mais ainda, de uso corriqueiro no dia a dia. Afinal, surpreender-se com a invenção de algo ("Você ainda não conhece?") seria indício de desatualização informativa; já a rejeição do uso ("Você ainda não utiliza?") sinalizaria arcaísmo mental e uma senil pré-modernidade.

Essa é uma imensa confusão entre o disponível e o supérfluo. Não é à toa que Eurípedes, o magistral tragediógrafo grego do século 5 a.C., vivendo num período de extensa abundância de recursos exclusivos para as elites (tal como hoje, entre nós) tenha perguntado: "O que é a abundância? Um nome, nada mais; ao sensato basta o necessário".

A sensatez de muitos está curvando-se ao tresloucado modismo tecnólatra que, como ponto de partida, incorpora procedimentos autoritários e imperativos (até fascistas), subordinando a liberdade de escolha a uma compulsão irrefletida. O pensador francês contemporâneo Roland Barthes, mais conhecido fora do mundo acadêmico por ter escrito *Fragmentos de um discurso amoroso* – e que, a propósito, produziu um ensaio demolidor de certezas chamado *O sistema da moda* –, alertou-nos para o fato de que "o fascismo não é impedir-nos de dizer, é obrigar-nos a dizer".

A questão não é, de forma alguma, abandonar a tecnologia e seus resultados positivos; isso seria uma estupidez. O que não se pode perder, porém, é a capacidade de ficar espantado; essa perda nos leva a achar tudo muito óbvio e rotineiro, impedindo a admiração que conduz à reflexão criadora.

É o famoso (e ambíguo) "parar para pensar" e, claro, admirar.

É necessário não menosprezar a atitude inovadora daqueles que, como as crianças, ainda se admiram que as coisas sejam como são, em vez de fingir que espantoso seria se não fossem assim...

Cuidado com a tacocracia...

Se você não se cuidar, a tacocracia vai te pegar!

Os antigos gregos, avós da cultura ocidental, quando usavam o termo *tákhos* (rápido) para expressar uma característica ou a qualidade específica de algo, não poderiam imaginar que um dia seus herdeiros fôssemos capazes de escolher a velocidade como o principal critério de qualidade para as coisas em geral.

Estamos próximos, muito próximos, de uma tacocracia, na qual a rapidez em todas as áreas aparece como um poder quase despótico e como exclusivo parâmetro para aferir se alguma situação, procedimento ou relação serve ou não serve, é boa ou não.

A pressa não é mais inimiga da perfeição? Devagar não se vai mais ao longe? Há, ainda, algum valor que possa ser atribuído a algo que demora um pouco mais para ser feito, fruído ou conquistado?

Não; não temos mais tempo! Cada dia levantamos mais cedo e vamos dormir mais tarde, sempre com a sensação de que o dia deveria ser mais extenso ou não soubemos nos organizar direito. Nem o relógio olhamos mais para ver que horas são, mas, isso sim, para verificar "quanto falta". É essa urgência de visualizar o intervalo espacial entre os ponteiros que fez, por exemplo, com que os relógios de pulso digitais não obtivessem sucesso duradouro, pois precisam ser lidos, em vez de apenas percebidos de relance; hoje, só os usam os que têm algum tempo sobrante para fazer cálculos.

Vai demorar para ficar pronto? Vou demorar para aprender isso? A conexão é demorada? A leitura desse livro é demorada? A visita ao museu é demorada? Oculto é demorado? Aprender a tocar este instrumento é demorado? Cuidar mais do corpo é demorado? Demora para fazer esta comida? Então, não posso querer.

Será um exagero pensar que estamos sendo invadidos pela tacocracia? Bem, lembremos somente uma situação modelar: a alimentação.

Embora esta seja uma das maiores fontes de prazer e convivência para a nossa espécie, querem que eu, o tempo todo (em vez de ser opção eventual), procure um tipo de comida em função da qual não precise pensar muito para selecionar – posso numerá-la, no lugar de nomeá-la – e, claro, não espere além de um minuto para recebê-la.

Ademais, essa comida deve ter uma consistência que me permita dispensar o trabalho de mastigar muito, podendo comê-la com as mãos, após ser tirada do interior de um saco de papel. O melhor de tudo é que eu consiga fazer isso sentado em fixos banquinhos desconfortáveis (diante de incômodas mesas) ou, como ápice civilizatório, dentro do carro, enquanto dirijo.

É prático, sem dúvida. Mas, é bom? Possibilita que eu ganhe tempo, mas, o que faço com o tempo que ganho? Vou desfrutar mais lentamente outras coisas ou continuo correndo?

Tem alguma coisa errada nessa turbinação toda.

Afinal, para além dos gregos que traímos, vamos pelo menos respeitar os latinos, para os quais *curriculum vitae* significava o percurso da vida, e não a vida em correria...

O naufrágio de muitos internautas

Há mais de um século o francês Júlio Verne publicou uma de suas mais encantadoras e assustadoras obras, *Vinte mil léguas submarinas*. Na época do lançamento, 1870, a maior parte das pessoas que tinham acesso a livros dominava minimamente o latim, seja por ser disciplina constante do currículo escolar em muitos países, seja por interesses específicos. Por isso, não ficou estranho que o romancista tenha chamado de Nemo ao enigmático capitão do Nautilus. No correr das últimas décadas, porém, o latim, que há alguns séculos perdera seus falantes, perdeu a maior parcela dos seus conhecedores e, por consequência, no Capitão Ninguém (traduzindo para o português) desfez-se parte da aura misteriosa.

Restou, no entanto, para além da força literária dessa precursora obra de ficção científica, um caráter premonitório: a possibilidade de as pessoas se extraviarem nas novas incógnitas abissais, embarcando, agora, não mais no Nautilus, mas, isso sim, em um computador, conduzidas, mais uma vez, por Ninguém.

Ora, cada dia fala-se, mais e mais, sobre a triunfal entrada da humanidade na Era do Conhecimento; exalta-se a capacidade humana de estar vivendo, a partir deste momento, um período no qual o conhecimento será a principal riqueza. Tudo é fonte para o conhecimento, e a principal delas seria a internet.

Devagar com isso! Não se deve confundir informação com conhecimento. A internet, dentre as mídias contemporâneas, é a mais fantástica e estupenda ferramenta para acesso à informação; no entanto, transformar informação em conhecimento exige, antes de tudo, critérios de escolha e seleção, dado que o conhecimento (ao contrário da informação) não é cumulativo, mas seletivo.

É como alguém que entra numa livraria (ou em uma bienal do livro) sem saber muito bem o que deseja (mesmo um simples passear): corre o risco de ficar em pânico e com uma sensação de débito intelectual, sem ter clareza de por onde começar e imaginando que precisa ler tudo aquilo. É fundamental ter critério, isto é, saber o que se procura, para poder escolher, em função da finalidade que se tenha.

Os computadores e a internet têm um caráter ferramental que não pode ser esquecido; ferramenta não é objetivo em si mesmo, é instrumento para outra coisa. Por isso, há um ditado atribuído aos chineses no qual se diz: "Quando se aponta a lua, bela e brilhante, o tolo olha atentamente a ponta do teu dedo".

O instigante Lewis Carol, na sua imortal *Alice no país das maravilhas*, a ser lida e relida, tem dois personagens bem expressivos para entendermos os tempos atuais: um coelho (como nós) sempre correndo, sempre olhando o relógio e sempre reclamando: "estou atrasado, estou atrasado"; e um insondável gato que, no alto de uma árvore, tem um corpo que aparece e desaparece, às vezes ficando só a cauda, às vezes só o sorriso. Há uma cena (adaptada aqui livremente) na qual Alice, desorientada, vê o gato na árvore e pergunta: Para onde vai esta estrada? O gato replica: Para onde você quer ir? Ela diz: Não sei; estou perdida. O gato não titubeia: Para quem não sabe para onde vai, qualquer caminho serve...

Sem critérios seletivos, muitos ficam sufocados por uma ânsia precária de ler tudo, acessar tudo, ouvir tudo, assistir tudo. É por isso que a maior parte dessas pessoas, em vez de navegar na internet, naufraga...

Memória fugaz, história veloz

Um fenômeno característico destes nossos tempos é a exagerada aceleração do cotidiano e a velocidade espantosa com a qual as alterações se processam. Mal nos damos conta de um fato, acontecimento, relato ou situação, e... lá se foram o registro e a percepção para longe de nossa memória próxima. Fatos que nos atingiram fortemente, acontecimentos que nos abalaram, relatos que nos emocionaram ou situações que nos inquietaram, desaparecem das nossas lembranças, antes mesmo que os tenhamos podido compreender melhor.

Grandes notícias desta década que acompanhamos atentamente e que ocuparam nossas mentes por um lapso de tempo: o terremoto que vitimou milhares de pessoas, o assassinato de um líder político, a morte por doença de um ídolo da música, o surpreendente acidente aéreo no Brasil, o inédito movimento de *impeachment* de um presidente.

Lembra-se, ainda, dessas notícias? Em que ano um cientista escocês clonou uma ovelha apelidada de Dolly? Um tsunami liquidou mais de trezentas mil pessoas; recorda-se dos países ou, pelo menos, do mês? O assassinato do líder político israelense, cometido por um estudante em praça pública, foi em qual ano, 1995, 1996, 1997? A queda do Muro de Berlim faz tempo que aconteceu? Quando? Mamonas Assassinas, lembra? Morreram em desastre aéreo no mês de março de que ano?

Em uma quinta-feira, próximo às oito horas da manhã, fomos informados da queda, sem sobreviventes, de um avião com quase cem pessoas na capital paulista, logo após a decolagem; assistimos às chocantes cenas por muito tempo, mas, em qual ano isso ocorreu? E o processo de *impeachment* do presidente brasileiro, atropelado pela renúncia quase compulsória? Talvez o ano fique fácil de lembrar, mas, e o mês?

Recordamos mais facilmente o mês e o ano do suicídio de outro dos nossos presidentes ou, até, da renúncia de um deles no início dos anos 1960;

guardamos, de cabeça, o ano do término da Segunda Guerra Mundial, o nome das cidades japonesas atomicamente bombardeadas, às vezes até o dia em que o ser humano pisou na lua e o nome do estádio no qual a seleção brasileira levantou o tricampeonato de futebol. (O do tetra você lembra? E a cidade? E o do penta?)

Será que os tempos eram outros? Claro; porém, nossa dedicação e atenção sobre os fatos também eram outras. Havia uma maior possibilidade de acompanharmos os fatos sem que nossa memória fosse atormentada por uma sucessão veloz de ocorrências fugazes, marcadas por uma condição de turbinada obsolescência, com prazo de validade sempre vencendo.

É por isso que muitas vezes os que temos mais idade nos surpreendemos com a dificuldade que a maioria dos jovens no nosso meio tem para compreender como história viva aquilo que para grande parte de nós é ainda memória. Ditadura, censura, sufoco político? Coisa antiga, podem pensar alguns. Solidariedade, confiança, utopias coletivas? Passado longínquo, afirmam outros. Paz e amor? Delírios de velhos, brincam vários.

Ora, por que não? Por que não paz e amor? Por que não utopias coletivas? Por que não projetos políticos? É preciso, em um diálogo marcado pela historicidade, aproximar esses dois modos de viver o presente. Sem preconceito que enclausure no pretérito e sem arrogância que desqualifique o já vivido.

Coisas de antigamente? Jamais! Coisas de futuramente...

Nada do que é humano me é estranho?

Certa vez, Laura, filha de Karl Marx, submeteu o grande pensador alemão a uma brincadeira divertida: responder a uma daquelas entrevistas-relâmpago (tornadas moda nas revistas e jornais do século seguinte ao deles) que, a pretexto de desnudar a intimidade de uma personalidade ou ídolo, perguntam qual a cor favorita, prato favorito, herói favorito etc. Depois de responder que a cor é a vermelha, o prato é o peixe e o herói é Spartacus, aparece entre os quesitos (registrados em um bem preservado manuscrito em idioma inglês) aquele que indaga pela máxima favorita e Marx não titubeia: *Nihil humani a me alienum puto* (Nada do que é humano me é estranho), querendo afirmar sua convicção na ideia de fraternidade e humanidade coletiva.

Essa resposta oferecida pelo generoso filósofo expressa, com propriedade, os ideais aos quais se dedicou sinceramente por toda uma turbulenta existência. No entanto, nos nossos tempos egonarcísicos, estamos perdendo as perspectivas de construção de uma convivência humana irmanada; cada vez mais ganham destaque outros ditados como "cada um por si e Deus por todos" ou "cada macaco no seu galho", ou ainda "quem pariu Mateus que o embale".

É interessante observar que a máxima por Marx admirada tem como fonte original a peça *O atormentador de si mesmo*, obra de Terêncio, comediógrafo latino do século 2 a.C., na qual se relata a história, ocorrida em Atenas, sobre um vizinho abelhudo que se intromete na vida dos outros sem perceber que coisas piores estão acontecendo dentro da própria casa dele. Como justificativa para os contínuos e inoportunos palpites que dava, esse vizinho fala: *Homo sum: humani nil ame alienum puto*, isto é, "Sou homem e nada do que toca o homem julgo que me seja alheio".

O sentido da frase, nessa comédia, é totalmente diverso e muito menos honroso do que aquele propugnado por Marx, mas, infelizmente, muito mais próximo de nós, nos tempos atuais. A intenção marxiana é ressaltar o dever de compreender a noção de humanidade como a prática de uma espécie de "um por todos, todos por um". Já na acepção original e, agora, contemporânea, é a defesa do direito à futrica, à fofoca e ao voyeurismo desenfreado que assola um certo tipo de mídia, altamente rentável, especializada na exposição impressa ou televisiva, do espetáculo proporcionado pelas delícias vividas pelos apaniguados e supostamente protegidos pelo destino e o inferno cotidiano dos fatalmente miseráveis e desgraçados.

Nada do que é humano nos é estranho? Nem sempre, dado que, inclusive, até a maioria dos odores humanos naturais nos desagrada. Não nos incomodamos por acariciar o dorso suado de um cavalo ou caminhar em meio aos cheiros que exalam de uma estrebaria ou curral (alguns proclamam apreciar esses aromas); porém, a fragrância do suor humano incomoda, assim como muitos consideram insuportável os fluidos emanados de um banheiro. (Limpar banheiro é sinônimo de castigo!) Somos capazes de, ao caminhar pelas ruas, desviar sem problema de fezes caninas ou felinas; contudo, encontrar fezes humanas é motivo de asco, repugnância ou distanciamento, tal como quando nos deparamos com mendigos, doentes crônicos, menores abandonados etc.

É por isso que, para não poucos, o sonho de paz e vida feliz é poder retirar-se para uma ilha paradisíaca, distante de tudo e afastada do maior número possível de humanos e humanas, isto é, isolar-se: ilha, condomínio fechado, alto da montanha, praia privativa, local inacessível; no máximo, horrorizar-se ou alegrar-se virtualmente com o que acontece com a humanidade, mas, sem chegar muito perto.

Talvez, parodiando Nietzsche, seja preciso lamentar que, por enquanto, tudo isso seja humano, demasiado humano...

Descanse em paz?

Em uma de suas cartas, o romancista Gustave Flaubert escreveu: "Que grande necrópole é o coração humano! Para que irmos aos cemitérios? Basta abrirmos as nossas recordações; quantos túmulos!"

Uma visão quase amarga como essa coube muito bem no século retrasado e, até há pouco, ainda tinha alguma vitalidade; agora, nas nossas pós-modernas e alvoroçadas épocas, estamos perdendo parte da capacidade de abrir as recordações, mesmo as tumulares. Hoje, a velocidade inclemente do cotidiano não nos oferece tempo para recordações muito duradouras; se estamos com pouco tempo para cuidar da vida, menos ainda nos sobra para cuidar da morte.

Não temos tempo! Houve uma época na história humana (e não faz muito) na qual, quando um dos nossos morria, parávamos tudo o que estivéssemos fazendo; o trabalho, ou o que mais fosse, era interrompido, e, se preciso, faziam-se longas viagens, até noturnas (sem os rápidos aviões, carros e boas estradas atuais), mas, não deixávamos de, velando os partintes, cuidar dos ficantes.

A humanidade houvera compreendido que, se com a morte não nos conformamos, ao menos nos confortamos, nos fortalecemos em conjunto, nos apoiamos. As pessoas ficavam, às vezes por um dia e uma noite, em volta da família, aglomerados, grudados, exalando solidariedade e emoção, orando e purgando lentamente o impacto, mostrando aos mais próximos que não estavam sozinhos na perda.

Ora, um dos mais fortes indícios da presença humana é o cuidado com os mortos; as mais antigas manifestações de formação social, quando as localizamos, o fazemos por intermédio de túmulos, inscrições, ossos agrupados ou corpos enterrados ou cremados. É sinal de humanidade não se conformar com a morte e, portanto, buscar vencer simbolicamente o que parece ser invencível. A própria palavra cemitério (derivada do grego), usada em vários idiomas, significa lugar para dormir, dormitório, lugar para descansar. Deixar esvair essa marca é extremamente perigoso, pois não propicia a especial ocasião de meditar sobre a vida e, eventualmente, descansar em paz.

Deixamos de velar (no sentido de tomar conta, cuidar) para velar (como cobrir, ocultar, esquecer, apagar).

Não temos mais tempo! Se recebemos a notícia de que algum conhecido faleceu, olhamos o relógio e pensamos: "vou ver se dou uma passadinha lá..."; alguém morre às 10 horas da manhã e, se der, será enterrado até as 5 da tarde, de maneira a, em nome do "não sofrermos muito", sermos mais práticos e rápidos. Nem as crianças (já um pouco crescidas) são levadas a velórios; muitos argumentam que é para poupá-las da dor. Isso não pode valer; parte delas cresce sem a noção mais próxima de perda e, despreparadas e insensibilizadas para enfrentar algumas situações nas quais a nossa humanidade desponta, simultaneamente, fraca e forte, perdem força vital.

Por isso, não será estranho se, em breve, tivermos que nos acostumar também com o velório virtual ou, principalmente, como já está começando em países mais "avançados", o velório *drive thru*: entra-se com o carro, coloca-se a mão sobre o corpo do falecido (enquanto um sensor lê tuas digitais para enviar um agradecimento formal), aperta-se um botão com a oração que se deseja fazer e... pronto, já vai tarde. Parece ridículo? Se não prestarmos atenção, assim será.

Vale o alerta de Gilbert Cesbron: "E se fosse isso perder a vida: fazermos a nós próprios as perguntas essenciais um pouco tarde demais?"

O futuro saqueado

Estamos vivendo um saque antecipado do futuro! Parece alarmista ou, até, piegas, mas continuamos esboroando e furtando as condições de existência para as próximas gerações depois da nossa. Essa é uma situação inédita, pois, durante toda a trajetória evolutiva e histórica da espécie, a grande preocupação de qualquer comunidade humana vinha sendo garantir a continuidade e a melhoria das estruturas de manutenção da vida para os descendentes.

A questão central nesse saque não é exclusivamente a materialidade da situação, isto é, a degradação do meio ambiente e dos recursos naturais, dado que, ainda que de forma incipiente, disso estamos cuidando.

O fulcro da problemática é, isso sim, os adultos admitirmos e promovermos o apodrecimento da esperança nas novas gerações. A elas vimos negando o futuro e, com facilidade, ouvem de nós aterradores prognósticos. (Não haverá futuro! Não haverá emprego! Não haverá natureza!) Também desqualificamos o presente e o passado delas. (Isso não é vida; vocês não sabem brincar! Vocês não tiveram infância! Isso que vocês comem é só porcaria! Isso não é música, é barulho!)

A tudo isso se dá um ar de fatalidade que indica a crença na impossibilidade de alterar essa rota coletiva; por isso, as novas gerações começam a acreditar no mais ameaçador perigo para a convivência gregária e a solidariedade: o individualismo exacerbado. A regra passa a ser a exaltação descontextualizada do *carpe diem* escrito por Horácio nas suas *Odes*; deixa de ser um "aproveita o dia", entendido pelo poeta latino como sinal de equilíbrio e virtude moderadora, e passa a ser um "curta tudo o que puder, no menor tempo possível, pois só há um horizonte: a vida é breve e sem sentido e nada mais nos resta a não ser o momento"...

Não é casual que haja um aumento desproporcional de jovens (cada vez com menos idade) que desvalorizam a vida, começando pelo desprezo pela própria integridade física e mental; são vítimas fáceis das drogas fatais e do álcool sem medida, proporcionadores de felicidade (ou fuga) momentânea. Claro, desse modo, sem futuro, o presente fica insuportável; o grande Dostoievski escreveu em *O idiota* que "não foi quando descobriu a América, mas quando estava prestes a descobri-la, que Colombo se sentiu feliz".

Vive-se, além de tudo, uma sociedade consumista, na qual a mínima possibilidade de sentido fugaz encontra-se na posse, mesmo que circunstancial, de objetos que são anunciados como sendo os portadores do segredo da felicidade. Crianças bem pequenas perderam a capacidade de brincar sozinhas, com um maravilhoso universo imaginativo e abstrato, no qual nada material precisava adentrar; agora, elas têm "necessidades" inseridas nelas pela nossa inteligência adulta e veiculadas por uma mídia que nem sempre se preocupa com o papel formador que desempenha.

Há uma estonteante presentificação do futuro que pode sequestrar a compreensão da vida como história e processo coletivo, fazendo, por exemplo, parecer que, como o terceiro milênio ocidental recém-iniciado, ele será todo vivido e passado já; fala-se no terceiro milênio como se ele fosse esgotar-se nas próximas décadas.

Não dá para supor um eterno presente; mesmo o fictício Dorian Gray, com o quase perene retrato, pagou caro pela sua ganância vital; nessa obra, Oscar Wilde fez aviso premonitório para quando algumas máscaras caírem: "As crianças começam por amar os seus pais; quando crescem, julgam-nos; algumas vezes, perdoam-lhes".

Memórias de Marguerite...

Pensar o passado é mais do que lamentar algum tempo que já se foi ou inebriar-se pela sedução de um futuro incerto, é sempre bom recordar o afago de Marguerite Yourcenar (1903-1987) ao escrever que "quando se gosta da vida, gosta-se do passado, porque ele é o presente tal como sobreviveu na memória humana".

A romancista e dramaturga francesa (nascida, porém, em Bruxelas quando o século 20 era infante!) fez poesias (cf. *O jardim das quimeras*) reinterpretando os mitos do nosso longínquo passado grego e produziu sua mais famosa obra, *Memórias de Adriano*, quando o século chegava ao meio; morreu aos 84 anos, por pouco não alcançando o final do mesmo século com o qual quase junto nascera.

Qual passado não pode estar presente nas seculares memórias de Marguerite? Nos poucos treze anos que faltaram para ela atingir o final do século 20, o que Marguerite não viu?

Não viu o massacre de estudantes em uma praça de Pequim (que, por distúrbio semântico ou ironia mística, ainda é chamada de Paz Celestial) e nem a invasão do Panamá (em uma operação alcunhada de Causa Justa) ordenada por um presidente norte--americano que depois foi à posse do filho para o mesmo cargo; não viu o Brasil latinamente estrear o *impeachment* presidencial.

Não viu a queda do Muro de Berlim e a posterior reunificação das Alemanhas; não viu, também, o começo da reaproximação das Coreias e a lamentável retomada dos confrontos entre israelenses e palestinos, apenas sete anos após a assinatura do Acordo de Paz que culminou com o Nobel para os signatários Yasser Arafat, Shimon Peres e Itzhak Rabin.

Não viu o desmantelamento da União Soviética, com o fim do começo da necessária utopia socialista; não viu o Papa João Paulo II visitar Cuba, a convite do próprio Fidel Castro (participante contrito de uma espetacular missa em Havana), e nem o fechamento definitivo da Usina Nuclear de Chernobyl.

Não viu a Guerra do Golfo quando, autorizado pela ONU, o Ocidente fez um ataque maciço e inclemente contra as forças de Sadan Hussein, para recuperar os campos de petróleo de um Kwait submetido a uma invasão iraquiana; não viu uma sangrenta e aterrorizante Guerra da Bósnia, entre sérvios, croatas e bósnios, o mais longo conflito bélico na Europa depois da Segunda Guerra Mundial e que, por não envolver a avidez do petróleo, permitiu que as grandes nações acompanhassem sem intervir de fato.

Não viu a emocionante eleição de Nelson Mandela (depois de quase 28 anos na prisão) para presidir a África do Sul no primeiro governo após o término formal do *apartheid*; não viu José Saramago receber o Nobel de Literatura, inédito para um escritor de língua portuguesa, e nem alguns ideais nazistas ressurgirem em determinados focos na Europa que, criando uma União Europeia, lançou uma moeda única.

Nas suas parciais memórias, Marguerite não viu a ovelha Dolly e nem se assustou com os desdobramentos possíveis da clonagem; não falou a partir de um celular e nem navegou na internet, não ingeriu alimentos geneticamente modificados, não ouviu música em um CD, não presenciou a regularização (em alguns países) da eutanásia e da união civil entre pessoas do mesmo sexo, não acompanhou a sonda em Marte (com hipótese de outras formas de vida) e não chorou a morte de Antonio Carlos Jobim, Frank Sinatra e Madre Teresa de Calcutá.

Isso tudo apenas no intervalo entre a morte de Marguerite e o final do século 20! Para nós, foram "presentes" e tal como sobreviveram na memória humana poderiam ser outros; dependerão, sempre, do ponto de vista de quem lembra.

Por isso, precisa ficar memorável a ideia do contemporâneo William Faulkner: "Ontem só acabará amanhã, e amanhã começou há dez mil anos"...

A mídia como corpo docente

As sociedades ocidentais contemporâneas transferiram, pouco a pouco, os cuidados com as crianças das famílias para as escolas; a formação e informação cognitiva, moral, sexual, religiosa, cívica etc., passou a ser entendida como uma tarefa essencial do espaço escolar, em substituição a uma convivência familiar cada vez mais restrita em qualidade e quantidade.

Por isso, quando nos aproximamos do início do ano letivo, não são só as aulas que chegam; na prática, é a entrada ou reentrada da nossa infância e adolescência no território que se supõe seja o mais adequado para elas estarem ("em vez de ficarem nas ruas ou *shoppings*"...). Há, assim, uma crescente sacralização do espaço escolar como sendo um lugar de proteção/formação/salvação e, por consequência, uma maior responsabilização das educadoras e dos educadores na guarida das gerações vindouras; no entanto, essa responsabilização beira a culpabilização, como se a escola e os profissionais nela presentes tivessem, isoladamente, o exclusivo dever de dar conta de toda a complexidade presente na educação da juventude.

É preciso, porém, observar um fenômeno que explodiu nos últimos 20 anos: uma criança dos centros urbanos, a partir dos dois anos de idade, assiste, em média, três horas diárias de televisão, o que resulta em mais de mil horas como espectadora durante um ano (sem contar as outras mídias eletrônicas como rádio, cinema e computador); ao chegar aos sete anos, idade escolar obrigatória, ela já assistiu a mais de cinco mil horas de programação televisiva. Vamos enfatizar: uma criança, no dia em que entrar no Ensino Fundamental, pisará na escola já tendo sido espectadora de mais de cinco mil horas de televisão!

Quando pensamos no campo da formação ética e de cidadania, os problemas na educação brasileira não são, evidentemente, um ônus a recair prioritariamente sobre o corpo docente escolar; há um outro corpo docente não escolar com uma estupenda e eficaz ascendência sobre as crianças jovens.

Cinco mil horas! Imagine-se a responsabilidade daqueles e daquelas que produzem as programações e as publicidades! Pense-se no impacto formativo sobre os valores, hábitos, normas, regras e saberes que os profissionais dessa área de mídia têm sobre os infantes e sobre a chamada "primeira infância", época na qual uma parte do caráter permanente da pessoa se estrutura!

É claro que isso obriga também aos que lidam com educação escolar rever os objetivos e a metodologia de trabalho; afinal, crianças pequenas não chegam mais à escola sem alguma base de conhecimento e informação científica e social, dado que têm outras fontes de cultura no cotidiano. Entretanto, essa constatação não desobriga a mídia a pensar e repensar o seu papel social: valores discricionários, erotização precoce, consumismo desvairado, competição e não cooperação, individualismo etc., podem estar sendo "ensinados" sem que os na mídia envolvidos deem conta disso.

Vale, por isso, lembrar o que, em 1980, nos contou Adélia Prado em *Cacos para um vitral* (com seu estilo simuladamente ingênuo e deveras percuciente), descrevendo uma cena familiar noturna em uma sala em pequenina cidade das Minas Gerais, quando fictícios personagens de novela borrifavam seus efeitos concretos na vida real: "Anselmo Vargas beijava Sônia Margot na novela das sete. O menininho de Matilde pediu: mãe, muda o programa. Meu pintinho fica ruim"...

Saudável loucura

Todo ano é a mesma coisa: o carnaval se aproxima e muitas pessoas começam a reclamar sem parar. Com impulsos rabugentos e veleidades moralistas, murmuram pelos cantos ou em voz alta contra a alegre ociosidade que, neste período e por estas plagas, seduz a maioria dos humanamente mortais.

Aproveitemos a inspiração dos ambientes das passarelas momescas, quando se reinstala um simulacro da nobreza monárquica, e vamos dar passagem à advertência do jovem ensaísta francês do século 18, Marquês Luc de Clapiers Vauvenargues: "Os preguiçosos têm sempre vontade de fazer alguma coisa".

Os que, como feitores renascidos, se outorgam a tarefa de colocar a todos nos eixos, gritam e alardeiam, com ares doutorais, que o Brasil não tem jeito mesmo! Onde já se viu um país pobre dar-se ao luxo de parar de trabalhar? Já tem muito feriado por aqui e agora continuam suspendendo tudo de útil por cinco dias apenas para ficar dançando e pulando pelas ruas. O que os estrangeiros, gente séria, vão pensar do nosso povo? Carnaval é perda de tempo! É por isso que uma nação assim não vai para frente...

Ora, já somos uma das poderosas economias capitalistas do planeta, sem que a riqueza coletivamente gerada seja adequadamente repartida! Uma nação vai para a frente quando prevalece a justiça cidadã e a paz social, quando há garantia do direito ao trabalho (e, portanto, ao descanso), quando os privilégios exclusivos não são apresentados como conquistas inevitáveis de alguns apaniguados. Uma nação perde tempo quando valoriza o cinismo que acomete fartamente alguns que se preocupam com quantos dias de folga tiram aqueles milhões para os quais sobra muito pouco de vida sã fora do horário de trabalho.

É necessário interromper a lógica que entende o trabalho contínuo e incansável como sendo a única fonte de saudabilidade moral e cívica; é preciso enterrar a estranha racionalidade que entende a capacidade de voltar a trabalhar como sendo o melhor critério de saúde. É comum um adulto internado em um hospital ou adoentado em casa considerar-se sarado apenas quando, após perguntar ao médico se pode voltar ao trabalho, fica por ele "liberado"; por que não perguntar: "Doutor, já estou bom? Já posso voltar a namorar, bailar, transar, jogar?"

Por isso, é claro que não deve ser obrigatório "brincar" ou "pular" o carnaval; o que pode ser feito por todos e todas é, isso sim, dar-se o direito de suspender um pouco o pragmatismo laboral do dia a dia e ganhar tempo, em vez de perdê-lo. Tempo de parar para dançar, orar, descansar, divertir, meditar, estudar; seja qual for a escolha, um tempo para si mesmo ou para si mesma. Ócio não é falta do que fazer, mas possibilidade de, nas condições apresentadas, fazer a escolha lúdica do que se deseja, sem constrangimento ou compulsoriedade.

Melhor, nesse caso, respeitar os insanamente saudáveis e cotidianamente produtivos, inscrevendo no pavilhão de algum estandarte precursor a assertiva de Mihai Eminescu (patriótico poeta romeno do século 19, mas nem por isso menos futurista): "As pessoas alegres fazem mais loucuras do que as pessoas tristes, porém, as loucuras das pessoas tristes são mais graves".

Afinal, louco não é o povo que para por quase uma semana para brincar; louco, provavelmente, é o povo que nem pensa em parar...

Antropolatria arrogante

Despontam, céleres novamente, as turbulências provocadas pela ameaça (ameaça, sim!) de utilizar a clonagem humana para fins de reprodução e não, como seria assimilável de forma controlada, com a finalidade terapêutica. De novo, e de forma arriscada e narcísica, estamos precariamente atentos às cautelas que tais artifícios devem comportar.

Estamos chegando! Falta pouco, bem pouco, para nos considerarmos libertos da constrangedora e fantástica crença de termos sido feitos à imagem e semelhança da divindade; em breve, assumiremos nosso suposto exclusivo papel: não há mais lugar para divindades, pois, agora, já o somos!

Catastrofismo? Não! Horizonte possível para a herança perigosa da petulância ocidental (muito, mas muito idosa) e que ganhou corpo com os gregos clássicos. Basta pegar o trecho da tragédia

Antígona, obra inestimável de Sófocles – que ao lado de Ésquilo e Eurípides formou magistral trio de dramaturgos na Atenas do século 5 a.C. –, no qual ele afirma que "há muitas maravilhas neste mundo, mas a maior de todas é o Homem".

Nós ainda continuamos caudatários desse tipo de "profissão de fé"; por isso, tamanho era e é o encantamento com nossa espécie que de nada adiantara a advertência de Píndaro (talvez o mais importante poeta lírico grego) que, quando Sófocles ainda era jovem, afirmara que "o Homem é o sonho de uma sombra".

Não adiantou mesmo. Paixão antiga...

Exemplo forte desse profundo autoencantamento encontramos na obra de William Shakespeare; na sempre (e com razão) admirada peça *Hamlet* ele escreve: "Que obra de arte é o Homem: tão nobre no raciocínio, tão vário na capacidade, em forma e movimento tão preciso e admirável, na ação é como um anjo, no entendimento é como um Deus, a beleza do mundo, o exemplo dos animais".

Nenhuma indagação sobre a nossa capacidade deletéria, a nossa presunção egoísta ou, até, a nossa infindável soberba. É como se disséssemos: "Somos insuperáveis; depois de nós, humanas e humanos, a natureza nada mais tem a oferecer de melhor. Nos encontramos no ápice da criação" (ou da evolução, como se diria, com grandes dificuldades, desde o século 19, a partir da preocupação de Darwin, para muitos irritante, em nos colocar como mais um "entre outros" seres, frutos da mutação, seleção natural e acaso).

Apesar da dúvida parecer uma prerrogativa de seu contemporâneo Descartes, foi o francês Blaise Pascal, filósofo e escritor místico cristão, que no século 17 provocou mais desconforto contra a exaltação shakespeareana, ao suspeitar do quase sacralizado território humano: "O que é o Homem na natureza? Um nada em comparação com o infinito, um tudo em face do nada, um intermediário entre o nada e o tudo".

Bela ideia, não? Mas, Pascal vai adiante, antes que caiamos novamente na tentação do sublime elogio a nós mesmos: "O que é, portanto, o Homem? Que novidade, que monstro, que caos, que vítima de contradições, que prodígio? Juiz de tudo, imbecil verme da terra; depositário da verdade, cloaca de incertezas e erros; glória e rebotalho do universo".

A Quaresma, um tempo de reflexão para a religião de muitas pessoas, pode nos ensinar um pouco também, pois, ao começar em um dia chamado Quarta-feira de Cinzas, rememora a frase que, na crença judaico/cristã/islâmica, foi dita por Abraão: "Vou ousar falar ao meu Senhor, eu que não passo de pó e cinza" (Gn 18,27); na liturgia católica fica como uma frase terrível (verdadeira?) que, dita em latim, ganha mais ainda ares assustadores: *Pulvis es et in pulverem reverteris* (És pó e a ele voltarás).

É preciso não desprezar outras sabedorias milenares...

Dinheiro, pra que dinheiro ?

Já pensou? Você recebe neste exato momento o aviso de que ganhou em uma loteria a quantia de 100 milhões de determinada moeda! Que delícia, não? Todos os problemas resolvidos, adeus às preocupações, finalmente chegou a sua vez. Passado o primeiro impacto e o alegre desnorteamento, é preciso tomar rápidas providências para aproveitar, proteger e aumentar o que agora é seu.

As providências deverão seguir a seguinte ordem: 1) Desaparecer para um local onde ninguém o encontre; 2) Não atender ligações de parentes e amigos, próximos ou distantes, dado que "não dá para confiar nesse povo interesseiro"; 3) Correr, incógnito, para aplicar o dinheiro, pois ele pode render milhares de outros por dia e ficar parado é arriscar-se a empobrecer; 4) Contratar seguranças para você e família, junto com carros blindados; 5) Mudar de casa, indo para um lugar distante, com grades, guaritas e fossos. Aí, sim, bom proveito!

Por isso, é preciso prestar atenção num dos ensinamentos proferidos por Alexandre Dumas Filho em *A dama das camélias*: "Não estimes o dinheiro nem mais nem menos do que ele vale; é um bom servidor e um péssimo amo".

Dinheiro não é tudo? Dinheiro não traz felicidade? Importa pouco; quase todos querem arriscar para ver se, de fato, esses ditados são verdadeiros. As justificativas são inúmeras; dinheiro, dizem muitos, não cheira, nem fede. Aliás, na obra *Vida dos doze Césares* conta-nos Suetônio que o Imperador Vespasiano, ao ser recriminado por seu filho Tito por estar cobrando tributos pelo uso das latrinas romanas, esfregou no nariz do futuro sucessor um pouco do dinheiro arrecadado nesse imposto de origem menos nobre e perguntou se o aroma incomodava. Tito respondeu, sem saída, *Non olet* (Não tem cheiro).

A sedução obsessiva pelo dinheiro é tamanha que a atração que exerce independe de apelos eróticos, como acontece com outras mercadorias na nossa sociedade. O inquietante pensador Millôr Fernandes (no livro *Millôr definitivo: a bíblia do caos*) faz uma reflexão extremamente arguta: "É tal a força do dinheiro que, por isso mesmo, é o único veículo de transa social que não utiliza, em sua promoção, imagem de mulher nua ou pelo menos *sexy*. Você nunca viu papel-moeda com seios, coxas ou bumbuns estampados. Em todo o mundo as notas só nos mostram escritores barbudos, políticos carecas, santos esquálidos. No máximo uma Rainha Vitória, uma imagem da República, bonita, mas machona, ou uma égua acabrunhada montada por um herói oficializado (o que não teve tempo de fugir) [...]. Não, o dinheiro não precisa desses reforços afrodisíacos. Formal, careta, feio, sujo, rasgado, colado, ele é sempre mais *sexy* do que a Marilyn em seus melhores momentos".

Para o amor, porém, o dinheiro tem uma valia relativa; amor de verdade (seja maternal, filial, por uma pessoa, por um lugar, pelo sagrado) dele não depende para existir, a tal ponto que opomos com veemência a ligação entre amor e dinheiro, desconfiando sempre da suposta relação amorosa na qual o dinheiro seja o visgo ou o fermento. Amor assim é entendido como falso amor, por ser interesseiro e hipócrita, movido pelo monetário e maculado pela falta daquelas que são as mais fortes marcas amorosas: sinceridade e confiança recíproca.

Romântico e piegas dizer isso? Não tem importância; para além de qualquer filosofia, todo o mundo entende quando, desde o final dos anos 1960, Martinho da Vila canta: "dinheiro, pra que dinheiro, se ela não me dá bola?"...

Se você parar
para pensar...

Na correria do dia a dia, o urgente não vem deixando tempo para o importante! Essa constatação, carregada de estranha obviedade, nos obriga quase a tratar como uma circunstância paralela e eventual aquela que deve ser considerada a marca humana por excelência: a capacidade de reflexão e consciência. Aliás, em alguns momentos, as pessoas usam até de uma advertência (quando querem afirmar que algo não vai bem ou está errado): se você parar para pensar...

Por que parar para pensar? Será tão difícil pensar enquanto se continua fazendo outras coisas, ou, melhor ainda, seria possível fazer sem pensar e, num determinado momento, ter de parar? Ora, pensar é uma atitude contínua, e não um evento episódico! Não é preciso parar, e nem se deve fazê-lo, sob pena de romper com nossa liberdade consciente. Isso, de uma certa forma, retoma uma séria brincadeira feita pelo escritor francês Anatole France (Nobel de Literatura em 1921, um mestre da ironia e do ceticismo) quando dizia que "o pensamento é uma doença peculiar de certos indivíduos e que, a propagar-se, em breve acabaria com a espécie".

Talvez pensar mais não levasse necessariamente ao "término da espécie", mas, com muita probabilidade, dificultaria a presença daqueles no mundo dos negócios e da comunicação que só entendem e tratam as pessoas como consumidores vorazes e insanos. Talvez um pensar mais nos levaria a gritar que basta de tantos imperativos! Compre! Olhe! Veja! Faça! Leia! Sinta! E a vontade própria e o desejo sem contornos? E (ainda lembras?) a liberdade de decidir, escolher, optar, aderir? Será um basta do corpo e da mente que já não mais aguentam tantas medicinas, tantas dietas compulsórias, tantas ordens da moda e admoestações da mídia; corpo e mente que carecem, cada dia mais, de horas de sono complementares, horas de lazer suplementares e horas de sossego regulamentares, quase esgotados na capacidade de persistir, combater e evitar o amortecimento dos sentidos e dos sonhos pessoais e sinceros.

Essa demora em pensar mais, esse retardamento da reflexão como uma atitude continuada e deliberada, vem produzindo um fenômeno quase coletivo: mais e mais pessoas querendo desistir, largar tudo, com vontade imensa de sumir, na ânsia de mudar de vida, transformar-se, livrando-se das pequenas situações que torturam, amarguram, esvaem. Vêm à tona impulsos de romper as amarras da civilidade e partir, célere, em direção ao incerto, ao sedutor repouso oferecido pela irracionalidade e pela inconsequência. Desejo grandão de experimentar o famoso "primeiro a gente enlouquece e, depois, vê como é que fica"... Cansaço imenso de um grande sertão com diminutas veredas?

Quando o inglês (nascido na Índia...) George Orwell, no final dos anos 40 do século passado, publicou a obra *1984* – uma assustadora utopia negativa quanto ao futuro das sociedades, nas quais não haveria liberdade, individualidade e privacidade – despontou no Ocidente um disfarçado e ansiado consenso (apoiado em uma simulada expectativa): tudo aquilo que ele colocara no livro jamais poderia acontecer e nem se relacionava com o porvir do mundo capitalista. No entanto, a macabra história sobre uma sociedade totalitária vai além de fatos abstratos e atinge hoje, em cheio, o terreno da mercadolatria; Orwell disse que, numa sociedade como a que prenunciou, "o crime de pensar não implica a morte; o crime de pensar é a própria morte".

Pouco importa, dado que ser humano é ser capaz de dizer não ao que parece não ter alternativa. Apesar dos constrangimentos e da tentativa de sequestro da nossa subjetividade, pensar não é, de fato, crime e, por isso, claro, não se deve parar...

Enquanto há vida...

Temos hoje um razoável consenso: os tempos estão terríveis, difíceis, complicados; partilhamos uma época de grande intranquilidade espiritual, de inúmeros padecimentos físicos, de infindos distúrbios existenciais, de profundos dilemas morais. Cabe, porém, uma questão: Alguma vez não foi assim? Levando em conta que todo e cada ser humano sempre viveu na era contemporânea, em qual delas não teria valido, então, o alerta de Guimarães Rosa de que "viver é muito perigoso"?

No entanto, resistimos! A esperança é um princípio vital, expresso na sábia e verdadeira constatação comum de que "enquanto há vida há esperança"; mesmo face às mais (aparentemente) intransponíveis circunstâncias achamos possível ser de outro modo, inventamos e reinventamos alternativas, recusamos a possibilidade de as realidades nos dominarem, e, sem cessar, sonhamos com o mais e o melhor. Em princípio, como para outros animais, as memórias das inevitáveis e sofridas (mas não exclusivas) experiências cotidianas deveriam nos deixar como legado o medo da repetição, o temor cauteloso pelo retorno da sensação ruim e, até, um impulso em direção ao desalento. Contudo, de novo, resistimos!

É por isso que, em pleno Renascimento (sempre renascimento...) do século 16 ocidental, o magistral Michelangelo dizia que "Deus concedeu uma irmã à recordação, e chamou-lhe esperança". Essa ideia foi retomada no século 19 pelo dramaturgo francês Victor Hugo – não por acaso um dos expoentes máximos do Romantismo – que afirmava ser "a esperança uma memória que deseja"; e, ainda, na obra *Os miseráveis*, o mesmo autor nos instiga, afirmando que "julgar-se-ia bem mais corretamente um homem por aquilo que ele sonha do que por aquilo que ele pensa".

Sonho aí não significa, claro, devaneio inútil ou delírio; sonho nessa acepção é o lugar do não pronto, mas, desejado, ansiado, querido. Nessa direção, também o Oriente nos socorre com a milenar inspiração que anima os escritos de Zhou Shuren (mestre da moderna literatura chinesa, conhecido pelo pseudônimo literário Lu Xun); escreveu ele que "a esperança não é nem realidade nem quimera; ela é como os caminhos da terra: sobre a terra não havia caminhos; eles foram feitos pelo grande número dos que passam".

O dinamarquês (depois naturalizado norte-americano) Jacob Riis (considerado o primeiro fotojornalista) dedicou sua arte na transição do século 19 para o 20 a escancarar a magnitude dramática da pobreza urbana; publicou centenas de fotografias daqueles que Victor Hugo imortalizara como miseráveis, mas plenos de esperança. O fotógrafo consignou a humana capacidade de não desistir em uma belíssima imagem, ao dizer que "quando nada parece ajudar, eu vou e olho o cortador de pedras martelando sua rocha talvez cem vezes sem que uma só rachadura apareça. No entanto, na centésima primeira martelada, a pedra se abre em duas, e eu sei que não foi aquela a que conseguiu, mas todas as que vieram antes".

Os excessivamente pragmáticos (ou corretamente chamados de idiotas da objetividade) diriam ser esta uma concepção piegas; são esses, com muita probabilidade, incapazes de compreender a esperança como produtora de futuro e aniquiladora da dureza do existir. Assim, não perceberiam a profunda beleza contida na lenda atribuída ao, também cortador de pedras, Michelangelo. Ao ser perguntado sobre como fizera a escultura de Davi (com quase 4,5 metros em um só bloco de mármore, guardada na Academia de Belas Artes de Florença), ele disse: "Foi fácil; fiquei um bom tempo olhando o mármore até nele enxergar o Davi. Aí, peguei o martelo e o cinzel e tirei tudo o que não era Davi"...

A ambígua solidão

Nunca, em toda a história, tivemos tantas concentrações urbanas com a inacreditável densidade populacional como as que temos atualmente; esses exorbitantes adensamentos humanos vêm perdendo, pouco a pouco, os contornos de uma comunidade e transformando-se em meros agrupamentos. Assim, em inúmeras regiões – não importando o tamanho da cidade, e, sim, a ruptura social – estamos muito próximos do limite da suportabilidade, dentro de uma forçada convivência, com contínuos confrontos de complexas e difusas necessidades, carências e ganâncias.

Há uma imensa diferença entre agrupamento e comunidade; esta pressupõe partilha de interesses e cuidado protetor mútuo, enquanto aquele resume-se a uma simples agregação de pessoas com raros objetivos coletivos comuns, pontuado por sinais de uma filantropia que, no mais das vezes, por ser calculista e interesseira, beira o cinismo utilitarista. No entanto, mesmo em meio à multidão (e o sabemos por experiência própria ou relatada) é possível sentir-se sozinho; conhecemos, por nós ou pelos outros, a condição de viver em cidades com milhares e milhares de outras pessoas e, ainda assim, experimentar e desejar a solidão.

De uma certa maneira, essa realidade angustiante (estar só, entre muitos; participar com outros da aglomeração de adversários) nega uma das mais fortes convicções do filósofo francês Gabriel Marcel que, em meados do século 20, acreditava que "a solidão é essencial à fraternidade". Parece que nos nossos tempos ela, a solidão, voluntária ou involuntária, serve mais como refúgio ou abandono do que, de fato, como momento reflexivo. Olhando as nossas inclementes metrópoles, é provável, até, que outro francês, o escritor Drieu La Rochelle (que solitariamente suicidou-se em 1945, após a derrota dos nazistas, com quem tardiamente colaborara), estivesse certo ao dizer que "a cidade não é a solidão, porque a cidade aniquila tudo quanto povoa a solidão. A cidade é o vazio".

Esse melancólico pensamento encarna-se em parte da inquietante e ainda atual obra do inglês Aldous Huxley (com quem um La Rochelle pré-fascista tivera ligação no começo do Surrealismo); no Admirável Mundo Novo, um mundo pleno de vazios, Huxley afirma que "se somos diferentes, é fatal que estejamos sós". Quem se importa?, bradariam muitos. Afinal, como lembrou seu quase contemporâneo, o irlandês Oscar Wilde, "as tragédias alheias são sempre de uma banalidade desesperante".

O fabulista Jean de la Fontaine afirmava que "bem melhor sozinho do que com tolos"; já o pensador Paul Valéry dizia que "um homem sozinho está sempre em má companhia". Quem está com a razão? O "antes só do que mal-acompanhado" parece triunfar sobre "o nenhum homem é uma ilha"; a base para a derrota da sociabilidade autoprotetora está em partir da constatação de que, conformando-nos em viver em agrupamentos e não em comunidades, continuamente se está mal-acompanhado. Então, vamos ao cada um por si (e qual Deus por todos?) e, claro, retornando ao parentesco original, cada macaco no seu galho.

É por isso que os termos "solidão" e "solidariedade" são assemelhados apenas na aparência, jamais no conteúdo; solidariedade vem de "solidez", daquilo que consolida e dá firmeza à vida coletiva, enquanto que solidão está atada à ideia de ser e ou estar "por si mesmo", em puro isolamento. A quebra do ideal da fraternidade nos incomoda e entristece, mas não tem conduzido muitos ao enfrentamento decidido e solidário.

Gustave Flaubert nos acautelou: "Cuidado com a tristeza. Ela é um vício". Seria também assim a solidão isolante e narcísica?

O triunfo da morbidez?

O pensador francês Blaise Pascal, um dos mais influentes filósofos e cientistas da nossa cultura desde o século 17, dedicou boa parte de seu trabalho reflexivo aos temas que, dizia, vão além da capacidade humana de entendimento, repousando a inserção deles exclusivamente no terreno do místico e do insondável. Pascal exercitava o que chamamos (às vezes cinicamente) de "perscrutar a alma humana", em busca de explicações sobre nós e o sentido daquilo que fazemos e, apreciador de aparentes paradoxos, dizia que "quando estamos de boa saúde, admiramo-nos de como seria possível estar doentes; quando isso acontece, medicamo-nos alegremente".

Há uma extrema contemporaneidade nessa perspectiva pascaliana, principalmente agora, quando tratar da doença, em vez de consolidar a saúde, tornou-se uma rotina reconfortante. Aceita-se com tranquilidade, por exemplo, a ideia de que o *stress* agudo e suas outras decorrências faz parte da vida cotidiana e, dessa forma, sendo uma consequência da "normalidade" de nossa existência, é necessário absorver maneiras de coabitação com ele; tomar medicamentos (e trocar receitas e referências médicas) tornou-se uma obsessão e uma temática recorrente nas inúmeras situações de convívio que a vida extensamente urbana impõe.

Qualquer ocasião de encontro entre pessoas, fortuito ou intencional (no trabalho, nas festas, nos deslocamentos, nas filas etc.), é suficiente para, com rapidez, ensejar um frenético escambo de posturas religiosas curativas, sugestões farmacológicas ou dietéticas, indicações profissionais especializadas e, claro, medidas eficazes de profilaxia laboral e espiritual, culminando com algumas hipócritas e falsas versões holísticas que prescrevem ervas cultivadas na terra (envenenada) como se fossem espécies de rosas de Hiroshima.

Assim, ocupamos uma boa parte do nosso tempo fora do mundo do trabalho – incessante e extenuante – cuidando das nossas doenças, só para podermos ficar momentaneamente aptos para continuar agindo do mesmo jeito que agíamos, e, portanto, conseguirmos melhores condições para fortalecer ainda mais as circunstâncias que nos deixam doentes...

Sigmund Freud, na segunda década do século 20, deixou de dar atenção estrita aos mecanismos de funcionamento do psiquismo individual e passou a dirigir o olhar psicanalítico (por ele fundado) também para os obstáculos da convivência humana em sociedades complexas; esse inédito esforço resultou, em 1930, na publicação da obra *O mal-estar na civilização*, na qual ele examina as razões pelas quais cada um de nós aceita reprimir as próprias bases constitutivas originais para sentir-se minimamente seguro em meio aos outros. Ou, como hoje diríamos, para ser socialmente aceito e coletivamente assimilado, vale até mesmo arcar com a custosa perda da autenticidade, da individualidade e da salubridade.

Vivemos agora a civilização do mal-estar? É provável; não estamos nos viciando em remédios, mas, isso sim, em doenças que entendemos como normais, gerando uma passividade brutal, intensamente vivida em torno do patológico e da submissão ao poder sedutor do mórbido. Por isso, o arguto escritor irlandês Bernard Shaw (Nobel de Literatura em 1925) nos avisou: "*Mens sana in corpore sano* é uma máxima absurda. O corpo são é o produto do espírito são".

A vida é curta para cuidar de tudo isso? Então, retomemos um contemporâneo e conterrâneo de Pascal, o ensaísta Jean de la Bruyère: "Aqueles que gastam mal o seu tempo são os primeiros a queixar-se de sua brevidade".

Quem avisa amigo é...

Tristes tempos! Vivemos numa época de interesses recíprocos, atravessamos um período de pragmatismos mútuos, nos quais as regras da competitividade mortal e de uma base econômica idólatra e implacável nos mecanismos de exclusão, impõe valores gananciosos! Uma norma principal ganha corpo: é bom tudo o que for útil, é adequado tudo o que for lucrativo, é moralmente confortável tudo o que for vantajoso. O princípio central da convivência passa a ser o inesgotável "Uma mão lava a outra".

A amizade também não conseguiu escapar muito dessa avassaladora pressão; poucas são as relações interpessoais que fogem ao utilitarismo das afetividades simuladas. Cada vez mais temos amizades fugazes, com data de validade restrita; as pessoas vão e vêm rapidamente, acumulando-se uma série de perdas sem que ganhos subjetivos se fortaleçam.

Mais e mais conhece-se muita gente e sustenta-se com fragilidade o aprofundamento dessas relações; coloca-se como orientação básica do "mundo dos negócios" (a invadir o tecido social) a necessidade de ampliar ao máximo o número de contatos, sem que, de fato, essas aproximações signifiquem uma intenção de permanência e dedicação. Usa-se com facilidade a palavra "amigo", em vez de, honestamente, fazer valer as expressões "colega" ou "conhecido".

Chega-se, inclusive, a uma situação mais defensiva: aqueles e aquelas que recusam qualquer forma de envolvimento nas afeições e na camaradagem, supondo, com densa carga de razão, ser difícil separar o que é uma lealdade sincera e amiga de uma simpatia forjada e circunstancial. A própria ideia de confraternizar, isto é, de estar "entre fraternos", fica sutilmente obscurecida pela concepção de que é fundamental fazer "network" para poder estar sempre entre os emergentes sociais e laborais, em vez de afundar no destino dos meros sobreviventes.

Sem desejar produzir um recurso à nostalgia tola, é saudável lembrar: bons tempos aqueles nos quais se podia acreditar no que Aristóteles, já no século 4 a.C., afirmava na *Ética a Nicômaco*: "a amizade é uma alma com dois corpos". Parece que o ideal aristotélico vem sendo superado por uma perspectiva muito bem expressa pelo, eventualmente satírico, filósofo francês Montesquieu: "A amizade é um contrato segundo o qual nos comprometemos a prestar pequenos favores para que no-los retribuam com grandes".

É claro que continuam persistindo as amizades duradouras, aquelas que, passados meses ou anos, tem-se a sensação de que a distância temporal não valeu, a intimidade permanece viva e o apoio irrestrito prossegue incólume; afinal, como refletia Jean Cocteau, sensível poeta e diretor de grandes clássicos do cinema francês, "a felicidade de um amigo deleita-nos, enriquece-nos, não nos tira nada. Caso a amizade sofra com isso, é porque não existe".

É por isso que Chamfort, em obra póstuma chamada *Pensamentos, máximas e anedotas* (publicada em 1795, pouco depois do suicídio em Paris), afirmava que "neste mundo temos três espécies de amigos: aqueles que nos amam, aqueles que não se preocupam conosco, e os que nos odeiam". A mesma ideia desponta no século seguinte, com a característica ironia irlandesa de Oscar Wilde: "Toda a gente é capaz de sentir os sofrimentos de um amigo.

Ver com agrado os seus êxitos exige uma natureza muito delicada".

Ainda tem de valer o ditado italiano *Amicizia que cessa non fu mai vera*, isto é, em pura tradução mais livre, "Amizade que acaba nunca principiou"...

A ameaçadora consciência letárgica

Em momentos tão estonteantes como estes em que nos enredamos, apalermados pelos inaceitáveis efeitos resultantes da imensa capacidade humana para produzir catástrofes e terrorismos inúteis, vem à tona uma atitude expectante, que oscila entre o cansaço oriundo da reiteração cotidiana do horror e o torpor decorrente da frágil eficácia das soluções apresentadas. O tempo todo, e sem muita reflexão, se é convocado a tomar uma posição, provocado a ficar do lado de alguns prováveis ofendidos, intimado a rejeitar a existência de supostos culpados, e, até, a assimilar instantaneamente a heroica exaltação do antagonismo entre autores e vítimas (sem ter muita clareza sobre quem é quem).

Quando as situações ficam assim, marcadas por uma estranha evidência e pelo imediatismo aderente, é preciso recorrer ao espírito paciente e sábio que milenarmente emana do Oriente mais longínquo; certa vez, ao ser perguntado por um jornalista sobre qual a opinião que tinha sobre a Revolução Francesa eclodida em 1789, o líder chinês Mao Tsé-Tung (1893-1976) disse: "É muito cedo para avaliar"...

É muito cedo para avaliar! E também é muito cedo para adjetivar, muito cedo para concordar, muito cedo para aquilatar, muito cedo para apreciar, incorrendo em leviana postura que traslada a consciência crítica ao pântano da conformidade, submetendo o livre-pensar ao arbítrio de uma única e hegemônica explicação e justificativa. O desejo de vingança é óbvio em excesso e não deve ser afagado como sendo um direito inalienável do agredido, a ponto de transformar-se em conivência como massacre de muitos dos já massacrados no dia a dia, meros sobreviventes de uma ideia fraturada de humanidade.

Por isso, nada pode ser aceito como tão óbvio, nem a necessidade obsessiva de guerra (santa ou não), nem os rompantes e ameaças dos poderosos, nem as manifestações de inocência e desagravo dos ocultos bandidos, pois tais expressões, ao serem digeridas sem indagações, objeções e suspeitas, conduzem à subserviência mental e ao consentimento ingênuo.

A história (do Ocidente ou do Oriente) nos ensina a não querer glorificar os morticínios, mesmo sob pretexto de serem justos, pois, como lembrou o escritor Henri Barbusse em sua vivência francesa da Primeira Guerra Mundial, "seria um crime mostrar os lados bons da guerra, ainda que ela os tivesse!"; afinal, as mortandades belicistas só podem ser julgadas na sua inteireza em função do critério estabelecido pelo dramaturgo alemão Bertold Brecht: "as mães dos soldados mortos são os únicos juízes da guerra", o que retoma a advertência feita pelo historiador grego Heródoto (século 5 a.C.) ao dizer que "ninguém é tão insensato que prefira a guerra à paz; em tempo de paz, os filhos enterram os pais; em tempo de guerra, os pais enterram os filhos".

A esperança não pode putrificar, sepultada, também ela, sob os tétricos escombros dos, outrora, símbolos da desatenta e fictícia invulnerabilidade; não é possível aceitar sem resistência a pregação do assassinato da unicidade do humano e a profanação da vida em suas múltiplas formas.

A autofagia é um perigo sempre iminente e, por isso, o teólogo francês do século 18 Fénelon (exilado pelo Rei Luís XIV em função das inúmeras divergências que teve com o poder despótico) afirmava, com toda a razão, que "todas as guerras são civis, porque é sempre o homem contra o homem que derrama o seu próprio sangue, que despedaça as suas próprias entranhas".

A resignação como cumplicidade

O escritor suíço Denis de Rougemont, um arguto defensor da unidade europeia e, especialmente, um estudioso da ocidentalidade, disse algo (em meados do século passado) que inspirou discursos conhecidos de muitos políticos: "A decadência de uma sociedade começa quando o homem pergunta a si próprio: 'O que irá acontecer?', em vez de inquirir: 'O que posso eu fazer?'"

A decadência (seja ela na sociedade mais ampla, seja em quaisquer instâncias como família, trabalho, política etc.) principia quando o imperativo ético da ação é substituído pela acomodação e pela espera desalentada, isto é, quando se abre mão do dever que emana da liberdade e se exige, para ser exatamente livre, uma intervenção consciente. Isto é lembrado em função de um sorrateiro entorpecimento que acomete a muitos, aniquilando pouco a pouco a capacidade de reagir e apontar como fora de lugar muitas coisas que parecem encaixar-se, sem arestas, na vida cotidiana e que precisam ser fortemente rejeitadas, de modo que esta não dê lugar ao abatimento que apenas aguarda, em vez de buscar provocar resultados.

Estamos nos acostumando – com rapidez e sem resistência ativa – com alguns desvios que parecem fatais e inexoravelmente presentes, como se fizessem" parte da vida": violência, desemprego, fome, corrupção e outros.

É a prostração como hábito! É o conveniente pesar estampado no rosto e nas palavras, para disfarçar uma simulada impotência individual, mas que, no fundo, é expressão de um egonarcisismo indiretamente conivente. Tão confortável assim pensar... Lembre-se, então, de Fernando Pessoa, para o qual "na véspera de não partir nunca, ao menos não há que arrumar malas".

Pode-se argumentar que, felizmente, ainda há muita esperança. Mas, como insistia o inesquecível Paulo Freire, não se pode confundir esperança do verbo esperançar com esperança do verbo esperar. Aliás, uma das coisas mais perniciosas que temos nesse momento é o apodrecimento da esperança; em várias situações as pessoas acham que não tem mais jeito, que não tem alternativa, que a vida é assim mesmo... Violência? O que posso fazer? Espero que termine... Desemprego? O que posso fazer? Espero que resolvam... Fome? O que posso fazer? Espero que impeçam... Corrupção? O que posso fazer? Espero que liquidem... Isso não é esperança, é espera. Esperançar é se levantar, esperançar é ir atrás, esperançar é construir, esperançar é não desistir! Esperançar é levar adiante, esperançar é juntar-se com outros para fazer de outro modo. E se há algo que Paulo Freire fez o tempo todo foi incendiar a nossa urgência de esperanças.

Seria possível também usar aqui palavras como desalento, desânimo, ou até covardia tolerante. Julio Cortazar, o argentino que deu novos contornos à prosa latino-americana dos anos 1960 em diante, afirmava que "a covardia tende a projetar nos outros a responsabilidade que não se aceita". Ou, pensado de outra forma, visite-se o romancista francês Jules Renard, com sua obra permeada por ironias cruéis (uma delas aqui representada em 1957 por Cacilda Becker com o nome de *Pega-fogo*): "Dando ouvidos apenas à sua coragem que nada lhe dizia, ele absteve-se de intervir"...

Por isso, resignar-se é, de forma contundente, concordar involuntariamente ou, até, ser cúmplice passivo. Melhor ficar com o vaticínio de André Destouches, compositor e diretor artístico da *Ópera de Paris* no reinado de Luís XV; o músico, especializado em tragédias líricas (como as que muitos pensam estar vivendo), advertia que "os ausentes nunca têm razão".

Os dentes do tempo

No primeiro século de nossa era, o latino Ovídio escreveu *tempus edax rerum* (tempo devorador das coisas), retomando uma epigrama do poeta lírico grego Simónides (5 a.C.), para o qual "o tempo de dentes afiados tudo consome, até as coisas mais fortes". Logo no início do século 17, Shakespeare, na comédia *Medida por medida*, traz de volta a expressão "os dentes do tempo". O tempo devora certezas, materialidades, expressões, relações, e anuncia rupturas e esquecimentos.

Não precisamos recorrer somente aos clássicos para tal circunstância perceber; situações simples e pueris nos mostram isso. Exemplos? Para esses meninos e meninas que estão agora começando a adolescência, alguns chavões que nós, mais idosos, usamos no dia a dia (originados das nossas modernidades tecnológicas do século 20), não fazem o menor sentido! Em um diálogo (diálogo?) ele fala alguma coisa que não ficou clara e você diz: Não caiu a ficha... Ele fica olhando; de qual ficha está falando? Ora, ele já cresceu usando cartão telefônico, e, se tiver menos de 15 anos de idade, nunca viu uma ficha. Como é que vai saber o que você quer dizer? E quando se pede, irritado, para eles colocarem o telefone "no gancho"? Que gancho? Ou, pior, a reclamação que fazemos quando não "puxam" a descarga no banheiro? Antigamente, isto é, há duas décadas, quando uma conversa estava chata, olhava-se para o interlocutor e se dizia: Ah, vira o disco! E para os infantes, que só conhecem o CD (com apenas um lado tocável) ou DVD e jamais utilizaram um disco de vinil? Eles não têm ideia do que se está falando... Inúmeras crianças e jovens nunca viram vários objetos do cotidiano de adultos comos quais convivem (convivem?) e isso é de dez anos para cá. Nós vimos e nem sempre nos acostumamos ou sabemos lidar com eles; o pior é que, com frequência, nos distraímos da passagem e do tempo.

Outro exemplo? A maior parte dessas crianças, com menos de 12 anos de idade, nunca viu uma máquina de datilografia; elas não sabem o que é! Muitos passamos horas e horas: a, s, d, f, g, c, l, k, j, h, a, s, d... Atenção: até uma década e meia atrás você era selecionado no trabalho com o exame de datilografia. Não falamos aqui do século 19, e sim de "agora mesmo", quando datilografia era um diferencial de formação (ou, como se diria mais recentemente, um diferencial competitivo), a tal ponto que a fala de um pai ou uma mãe foi monocórdica para muitos de nós: você tem que fazer curso de datilografia, senão você não vai ser ninguém, você não vai dar para nada na vida... Quantos fizeram curso de datilografia, guardaram até o diplominha, puseram num quadrinho e penduraram na parede. Quanto vale hoje um diploma de datilografia?

Esse é um lado razoavelmente humorado; porém, os dentes do tempo (e da falta dele) deglutem vorazes também as afetividades. Em uma pesquisa feita há pouco nos centros econômicos mundiais mostrou-se que, por dia, o convívio entre pais executivos e seus filhos não ultrapassava a 5 minutos, inclusive no Brasil. O número de vezes e a intensidade em que o pai ou a mãe encontra o filho é muito rápido; há, inclusive, um fato tristemente inédito: nas metrópoles, somos a primeira geração de adultos que sai de casa mais tarde que os filhos. Por muitos e muitos anos, séculos até, os adultos acordamos as crianças (filho, vai para a escola, toma café, toma banho, olha a camiseta); hoje, o filho levanta sozinho e sai às 6h30 ou 6h45 na van ou no ônibus, e o pai e a mãe, acordando mais tarde, saem para trabalhar às 7h30, 8h... Assim, essa família quase não se encontra, filhos são "criados" por outras pessoas e isso resulta em um impacto negativo na consolidação de uma comunidade afetiva.

O tempo não é só passagem; é, também, esgotamento, restando para muitos apenas alguns horizontes de perplexidade tardia.

Janus à espreita

Na religião romana da Antiguidade há um deus chamado Janus, sempre representado por uma cabeça com dois rostos opostos, de modo a olhar para frente e para trás; essa divindade era considerada protetora dos começos, isto é, da hora inicial do dia e do primeiro mês do ano (*Januarius*), pois, assim, abria e fechava todas as coisas e guardava o passado (ano findante) e o futuro (ano novo).

Para poder proteger inícios e términos vitais, o francês Marcel Proust publicou nas primeiras décadas do século 20 (usando primeira pessoa e produzindo um monólogo interior em 16 volumes!) uma das mais importantes obras de toda a Literatura: *Em busca do tempo perdido*. É provável que o escritor quisesse viver no romance aquilo que acreditava, ao afirmar que "certas recordações são como os amigos comuns: sabem fazer reconciliações".

Recordações! Olhar para trás e reconciliar o futuro! É claro que o fundamental não é procurar o tempo perdido, mas, isso sim, aquilo que no tempo perdeu-se e não deveria tê-lo feito; lembramos o que já se foi para orientar o desejo daquilo que deve vir. No entanto, a maior parte das pessoas em nossa época vem se preocupando mais com as metas (que são pontos de chegada) do que com os princípios (que são pontos de partida).

Quais deveriam ser, então, os nossos valores? Garantir a integridade da vida, promover a sinceridade das relações interpessoais, realizar a lealdade fraterna e fortalecer a fidelidade ao solidário? Os valores são exatamente os princípios (os começos protegidos por Janus...) e constituem o amálgama que agrega e orienta as atitudes individuais para a efetivação das intenções e finalidades de uma coletividade; valores são referências de conduta (grupal e pessoal) em torno das quais um coletivo compreende e legitima o exercício de suas atividades conjuntas, valores representam a possibilidade de convergência honesta dos propósitos usualmente dispersos na convivência multifacetada e, quando apropriados (tornados próprios) por cada um, diminuem o risco de artificializar e retirar autenticidade dos contatos presentes no cotidiano.

Assim caminha a humanidade... Caminha junta? Caminha camuflada e amedrontada? Caminha agora mais sozinha do que antes? Caminha em direção ao outro? Basta um exemplo a bem recordar: há poucas décadas, independentemente do tamanho da cidade, quando alguém, tarde da noite, saía a pé de algum lugar (trabalho, escola, igreja, clube etc.) e caminhava só em direção ao próprio lar, ouvir passos de outra pessoa representava um certo alívio: Agora vou ter companhia! E os dois seguiam andando juntos... Hoje, quando, na mesma circunstância, são ouvidos ruídos humanos, já se pensa: Meu Deus do céu, vem vindo alguém...

O que aconteceu? Qual princípio foi violentado? Antes o outro era até um amparo; tínhamos medo, quando muito, de alma de outro mundo. Do que se tem medo agora? Do outro, porque, em vez de ser alguém que pode te proteger, é eventual ameaça feroz.

No século anterior ao de Proust, o poeta inglês George Gordon Byron nos desafiava, dizendo que "a recordação da felicidade já não é felicidade; a recordação da dor ainda é dor". Por isso, é preciso reviver o relato inserido no princípio da Bíblia judaico-cristã no qual há um trecho conhecido (e muito esquecido): logo após a narrativa do primeiro assassinato e o consequente estilhaçamento original da fraternidade (a ser refeita), o Criador procura o criminoso que, cinicamente, alega isenção. "O Senhor disse a Caim: 'Onde está o teu irmão Abel?' 'Não sei', respondeu ele. 'Serei eu o guarda de meu irmão?'"

Pergunta e resposta continuam ecoando nestes novos recomeços...

Salutar nostalgia

No século 17 a medicina europeia utilizava uma palavra para indicar a volta de uma dor: nostalgia. A base etimológica para esse termo foi a junção das expressões gregas *nostos* (regresso) e *algòs* (dor); no final desse mesmo século um médico suíço da Basileia estendeu a compreensão do termo à ideia de "volta à pátria", isto é, uma tristeza imensa, com um desejo forte de retornar. Hoje, nostalgia pode ser uma saudade intensa de alguém, de algum lugar, de algum tempo, de alguma situação, e, para muitos, está ligada a uma dimensão mais sofrida, magistralmente definida por Chico Buarque ao dizer que "a saudade é o revés de um parto".

Em 1973 o cineasta italiano Federico Fellini (que faleceu em Roma vinte anos depois) filmou a emocionante e nostálgica obra *Amarcord*, na qual rememora, por meio de pouco disfarçadas autorreferências, a infância vivida em Rimini, cidade natal desse genial artista. Em alguns dos dialetos da Itália, "amarcord" significa aproximadamente "eu me lembro" (isto é, continua guardado dentro de mim), pois aí está presente o substantivo latino *cor, cordis* (coração).

Dos muitos "amarcord" que se pode carregar, recuperei um deles, ocorrido há alguns anos e evocado a partir de outras anotações:

"Cidade de São Paulo, seis horas da tarde, chovendo sem parar. Eu, ainda molhado pela chuva, dentro de um trem do metrô lotado, indo para a universidade dar aulas (já entrando na terceira jornada de um longo dia). Fome, vontade de tomar um banho, ficar em casa à noite, descansar.

O trem vai bem devagar (problemas na energização dos trilhos) e, a cada estação, mais gente adentra, espremendo-se em pé, segurando sacolas, pastas, bolsas e guarda-chuvas; janelas do vagão fechadas (por causa dos trechos ao ar livre do trajeto); ar-condicionado desligado (para economizar eletricidade emergencial); calor, abafamento, odores marcantes por todos os lados.

Meu desejo? Sumir dali, sair de perto, desencostar de tantas pessoas, cheiros, ruídos e suores. Paz, quero paz!

De repente, próximo à porta do vagão, uma mulher com uma criancinha no colo, a pequena com a cabeça debruçada por cima do ombro da provável mãe. A menininha olha para mim e, sem razão maior, sorri.

Pronto. Durante segundos (mas sentidos como uma deliciosa eternidade) desaparecem todos os transtornos à minha volta. Não há mais chuva fora, não há mais pressa, não há mais cansaço, não há mais nada, exceto uma sensação de encantamento e uma vontade imensa de retribuir o sorriso. Eu o faço e, rápida, a criança simula esconder o rostinho com as mãos, agora rindo.

O trem chega à estação na qual devo descer; saio, reconfortado pelo alcance admirável e profundo de um sorriso despretensioso e verdadeiro. Saio, sentindo-me abrigado pela experiência de um mistério que faz cessar qualquer turbulência".

Por isso, nesta nossa época de desassossegos, violências e inquietações, mas, mergulhados ainda nos ecos (agradáveis ou não) das recordações carnavalescas (ou não) de agora e de outrora, vale lembrar o tempo em que pedir paz era um desejo quase que só ligado ao campo afetivo e às agruras amorosas.

Em 1970, Dalva de Oliveira cantou o seu imortal sucesso *Bandeira branca* (de Max Nunes e Laércio Alves) e, nostalgicamente, não pudemos mais esquecer:

"Bandeira branca, amor, não posso mais, pela saudade que me invade eu peço paz; saudade mal de amor, de amor, saudade dor que dói demais, vem meu amor, bandeira branca, eu peço paz"...

Amarcord! Eu me lembro! Tu te lembras? Dói de novo?

Quiproquó

Entre os séculos 11 e 14, em uma Europa majoritariamente dominada pelo poder eclesiástico, apareceram várias e grandes concentrações de eruditos ligados à estrutura religiosa e que buscavam prover escolas dedicadas a estudos mais elevados para a sustentação teórica da cristandade. Essas organizações deram origem às primeiras universidades europeias e, na história do pensamento ocidental, o período é chamado de Escolástica; nele imperou um método didático extremamente eficiente para a consolidação dos conhecimentos hegemônicos, no qual a forma do raciocínio e da exposição tinha relevância maior do que o conteúdo (inaugurando a força do formalismo que a tantos seduz, até hoje, no campo da política e da mídia).

Por isso, na Escolástica, quando se desejava alertar um neófito estudante para o perigo das confusões formais na aprendizagem, era utilizada a locução "quid pro quod", isto é, não confunda *quid* com *quod* (um nominativo com um ablativo), ou seja, não vá tomar uma palavra pela outra, misturar isto com aquilo. Essa locução tornou-se o substantivo "quiproquó" que faz parte do nosso cotidiano, como fato e vocábulo...

No entanto, a mesma expressão foi usada no ramo farmacêutico, a partir do Renascimento, com sentidos opostos. No século 15 as confrarias ou associações (secretas ou não) dos formuladores de remédios e poções costumavam elaborar compilações das fórmulas e, nessas, registravam as substâncias que podiam ser tomadas no lugar de outras sob o título positivo de "quid pro quo"; porém, do século 18 em diante, os boticários, de modo negativo, passaram a usar a mesma expressão para designar um engano na formulação dos medicamentos.

É essa acepção de equívoco a que perdura entre nós e não nos faltam exemplos da precisão do termo para indicar situações nas quais o quiproquó vem à tona, especialmente quando se procura prescrever soluções ambíguas ou desacertadas para alguns dos males provocados pelo desequilíbrio social. Nos projetos e programas oficiais ou corporativos dirigidos à sociedade está tudo formalmente adequado, mesmo quando o conteúdo não tem resultado eficaz.

É só prestar atenção aos discursos ou inflamadas justificativas autocomplacentes. "Ressurreição de epidemias? Culpa do povo que, tal qual um Jeca Tatu tardio, resiste ao que é bom para ele mesmo. Desemprego escandaloso? Simples componente do reordenamento da economia e do realinhamento do país na inevitável globalização que só os derrotistas não percebem que nos favorecerá. Indigência educacional, fome, miséria urbana e rural? Faz parte do processo de modernização de um país que, aos poucos, vai assumindo seu lugar de destaque na constelação de nações importantes. Violência sem controle? Consequência das ações dos defensores dos direitos humanos que impedem a retaliação indiscriminada e não são permeáveis aos eventuais excessos inerentes à ação repressora. Todos os planos estão corretos. Se alguma coisa não está dando certo é por mero acaso"...

O mais do que bicentenário escritor francês Victor Hugo, poeta, romancista e teatrólogo, combatente pela República (da qual foi deputado e senador, tendo antes sido exilado por oito anos por ordem de

Napoleão III), precisa ser relembrado mais do que a indignação que aparece no aclamado *Os miseráveis*.

Visite-se, para afastar alguns aparentes quiproquós, aquilo que Hugo sabiamente escreveu na peça *Ruy Blas*: "Acaso? Iguaria que os patifes confeccionam para os tolos que a comem".

Douradas pílulas

Ovídio, poeta latino do começo da Era Cristã, bastante afamado na sociedade romana da época pelas poesias eróticas que escrevia, anotou em uma delas, *Os amores*, um verso que nos parece sempre familiar: "Sob o doce mel escondem-se venenos terríveis". Tal sentença lembra tanto um discurso enganador, camuflado, falso, quanto o costume antigo de lambuzar antes com mel a borda do recipiente no qual uma criança teria de sorver um líquido ou remédio amargo.

Ainda no século 1, outro latino, Marcial, satírico criador de curtos poemas chamados Epigramas, ao fazer menção a uma mulher que procurava dissimular algumas rugas no ventre usando farinha de fava, disse: "adoças-me os lábios", isto é, em linguagem mais contemporânea a nós, "douras a pílula".

Curiosamente, toda a vez na qual se inicia em nossa mídia o período mais intenso das propagandas eleitorais, é comum as pessoas se irritarem, reclamando da "invasão", reagindo com sarcasmo e dizendo o popular "me engana que eu gosto". Cautela, ou, como se diria em outros tempos, alto lá! Essa é uma postura arrogante e ingênua, pois entende que os acobertamentos das reais intenções sejam uma exclusividade da publicidade presente no "mercado" da política, deixando de prestar atenção também na "política" do mercado, impregnada de douradas pílulas venenosas.

Quais são os mais comuns apelos do desvario materialista expostos à exaustão por algumas propagandas e desafiantes para uma inteligência que ultrapasse a mediocridade? Carros que desenvolvem tanta velocidade nas estradas que tem-se a impressão de que foram abolidas as leis de trânsito; liquidações em *shoppings* com tão radical diminuição dos preços que antes eram cobrados que se fica imaginando o enorme "prejuízo" que as lojas terão; promoções de grandes redes de supermercados que anunciam vender tudo abaixo do custo a ponto de imaginarmos a anulação dos princípios básicos da ciência econômica e a iminente falência desses grupos;

cantores sertanejos proclamando a qualidade insuperável de móveis fabricados em escala industrial, levando-nos a supor que, agora sim, com esses produtos, a casa deles está bem mobiliada.

Mais? Os exemplos de indigência mental mascarada ainda são muitos. Atores televisivos exaltando as vantagens de consórcios imobiliários e mostrando como só assim foi possível adquirirem a casa mostrada ao fundo e, felizmente, puderam ter "um teto"; heróis do esporte nacional recomendando o consumo de alguns complexos químicos para sustentar a saúde e a vitalidade exemplar; artistas da exibição erotizante sugerindo a obtenção de silhuetas similares às delas a partir do uso fugaz de aparelhos eletromecânicos e da ingestão de poções milagrosas; atores desejados e jovens recomendando beber, como eles, somente a cerveja que atrai todas as mulheres disponíveis, e insinuando serem todas (garrafas e mulheres) *one way* etc.

Precisas ter! Precisas comprar! Precisas experimentar! Precisas possuir! Precisas de tudo, a qualquer custo, de qualquer modo! Ora, promessas vãs, momentâneas alegrias, sentidos descartáveis; é o reino das aparências, o primado da reclusão em uma insaciável procura por uma resposta que está além do consumismo tresloucado. Doce mel, terrível veneno...

É por isso que Santo Agostinho (354-430), principal teólogo cristão da Patrística e extremamente atual em muitas das reflexões que fez, escreveu na obra *A cidade de Deus* (ao pensar sobre a felicidade mais perene) algo que nos serve sempre: "Não pode saciar a fome quem lambe pão pintado".

Vergonhas amargas

No início da década de 1990 na cidade de São Paulo aconteceu uma plenária para a discussão do Orçamento Participativo relativo ao setor central da metrópole; promovida pelo governo municipal, o convite para a participação foi feito aos moradores da área da Sé (na sua maioria habitada, naquela época, por encortiçados ou sem-teto). O espaço público no qual esse encontro ocorreu foi o Teatro Municipal da capital paulista, um dos mais bonitos do mundo, com obras de arte maravilhosas, projetado pelo grande arquiteto Ramos de Azevedo.

Imagine-se a cena: o povo pobre, muitos economicamente miseráveis, entrando no teatro devagar, olhando tudo à sua volta, escadas de mármore, paredes e poltronas de veludo e lustres de cristal. Lotou a plateia. Um ou outro colocou jornal ou sacola no assento, mas a maioria não sentava; então, foi-lhes perguntado o porquê da atitude de ficarem de pé e um participante, com mais coragem, respondeu: não sentamos para não sujar a cadeira. Foi dito, então, aos que estavam na reunião: Sentem-se; este teatro é de vocês! Eles riram muito, gargalharam até, e cutucavam uns aos outros, simulando mesuras recíprocas de oferecimento dos assentos e pensando ser brincadeira, o que criou um certo encabulamento nos organizadores. Foi dito novamente, lá do palco: O teatro é de vocês, cidadãos e cidadãs, que pagam seus impostos e constroem esta cidade! Eles riam ainda mais; um riso agora nervoso, robustamente descrente.

A razão para esse riso dolorido e incrédulo pode ser encontrada em outra história real e, também, exemplar. Dois anos antes, no final de 1989, Paulo Freire, na época Secretário Municipal de Educação de São Paulo, organizou um Congresso de Alfabetizandos. Era preciso fazer um cartaz para a divulgação. Certo dia, andando pela periferia, visitando diversas salas do movimento de alfabetização por ele criado, viu em uma delas, anotada na lousa, a primeira frase que um alfabetizando, de 45 anos de idade, conseguiu escrever na vida. Essa frase, registrada naquele momento ainda com equívocos de grafia e sintaxe, mas gritantemente ética e desafiadora, foi usada como lema no cartaz do Congresso: "Nós construímos esta cidade e nela somos envergonhados".

Vergonha! A frase ecoa: nós ("eles") também construímos e fizemos esta cidade, nós também edificamos este lugar, nós também pusemos nossa vida na obra coletiva, mas, ainda assim, somos envergonhados. Envergonhados por habitações paupérrimas, por corpos famintos e adoentados, por privação do lazer criativo, por desempregos socialmente evitáveis, por inseguranças agudas, por humilhações cotidianas, corriqueiras e aparentemente infindáveis.

Não é possível admitir a persistência desse envergonhamento; não é aceitável assimilar depauperações da dignidade coletiva; não é moralmente justificável a omissão e a lerdeza de uma sociedade no enfrentamento de tudo aquilo que humilha, ofende e degrada a integridade do outro na partilha da vida e na convivência humana.

Por isso, o amoroso pernambucano e universal educador Paulo Freire tem uma reflexão que auxilia muito a compreensão e a tarefa do nosso tempo e que precisa ser repetida não até que as pessoas se cansem, mas até que se convençam: "A melhor maneira que a gente tem de fazer possível amanhã alguma coisa que não é possível de ser feita hoje é fazer hoje aquilo que hoje pode ser feito. Mas se eu não fizer hoje o que hoje pode ser feito e tentar fazer hoje o que hoje não pode ser feito, dificilmente eu faço amanhã o que hoje também não pude fazer".

Sábia advertência, poderoso desejo!

Humana armadilha

Há uma hilariante e inesquecível tirinha entre as milhares desenhadas pelo argentino Joaquin Salvador Lavado, o Quino, na qual, usando da aguda – embora atordoada – inteligência de Mafalda (sua mais conhecida personagem, inventada em 1963), ele consegue expressar com clareza alguns dos meandros que envolvem a existência humana. No primeiro quadrinho dessa tira Mafalda se aproxima de uma loja de esquina onde há um idoso chaveiro; no quadrinho seguinte entra no prédio e, sarcasticamente, diz a ele: "Bom-dia. Quero uma chave da felicidade"; sem demonstrar espanto, no terceiro quadrinho ele dirige um olhar complacente e responde: "Com certeza, menina. Traz o modelo?"; sai ela então da loja, caminhando sem graça e pensando: "Espertalhão o velhinho!"

O modelo, onde está o modelo? Ou, melhor ainda, existiria um modelo? Precisa haver? Múltiplas são as pistas sobre o lugar onde se encontra a "chave da felicidade" e, claro, o provável modelo; alguns o situam na arte desprendida, outros na religião obsessiva, muitos no consumo desvairado, vários na política indolente, poucos na filosofia militante, inúmeros no trabalho insano, raros na dignidade coletiva.

O que seria esse almejado horizonte que uma chave desconhecida, distante ou simplesmente invisível, poderia proporcionar o acesso? Felicidade pode ser estado de espírito, e não uma situação material; pode, ainda, despontar como um sentimento passageiro ou um devaneio fugaz. Marcando-se em nossa existência sempre como uma ocorrência episódica, remete-se, talvez, ao terreno ocupado por uma sabedoria misteriosa contida na frase do escritor e polemista francês Barbey d'Aurevilly – que no século 19 era, curiosamente, um difusor e admirador do satanismo – ao dizer que "o prazer é a felicidade dos loucos; a felicidade é o prazer dos sábios".

Qual seria, então, a carga de verdade contida na advertência feita pelo muçulmano Saadi, escritor lírico cujas obras foram as primeiras poesias persas a serem traduzidas para o Ocidente moderno? Em meados do século 13, após ter sido libertado das mãos dos cruzados e se enclausurado voluntariamente em uma espécie de convento, escreveu (em pleno deserto!) a coletânea *O jardim das rosas* e nela registrou (indicando uma das chaves possíveis): "Lamente por aquele que julga haver achado a felicidade, inveje aquele que a procura e a abandonará, tão logo a encontre. A única felicidade consiste em esperar a felicidade".

Por isso, a ideia de chave lembra uma reflexão de Gilberto Amado, diplomata brasileiro eleito membro imortal da Academia Brasileira de Letras no mesmo ano em que nascia Mafalda; em meio à extensa obra memorialista e ensaística do escritor sergipano destaca-se o livro inicial, *A chave de Salomão* (1914), um elogio ao espírito contemplativo e nesse ensaio ele afirma que "a felicidade é sinônimo de tranquilidade; ser feliz é ser tranquilo".

Ser feliz é ser tranquilo! Felicidade como estado de serenidade, como a capacidade de atravessar as perturbações cotidianas sem resvalar para o desespero; felicidade como possibilidade de amainar a consciência e repousar a mente muitas vezes atormentada; felicidade como vivência plácida, mas distante do imobilismo e bem próxima da paz. Porém, nova complicação, o que é estar em paz?

Felicidade! Sensação primordial ou meta inalcançável, conquista paulatina ou ingenuidade pueril? Liberdade de busca ou armadilha romântica?

Se o soubéssemos, seríamos mais felizes?

Sábia consciência

Há uma procura muito intensa hoje em dia pelo atingimento de um lugar aparentemente desconhecido: a morada da sabedoria. O fastio provocado por um modo liberticida e materialista de existir, somado ao cansaço resultante da oferta incessante de inúmeras e ineficazes fórmulas prontas para o sucesso, leva à aspiração por algo misterioso e extremamente desejado. O sintoma mais evidente dessa ânsia está na profusão de medicinas, religiões, literaturas e rituais que anunciam um ponto de chegada que acalmará os espíritos e cessará a turbulência de mentes atormentadas pela busca de um sentido para a própria existência.

Parodiando o título da estupenda obra do escritor francês Marcel Proust, parece que agora é preciso irmos céleres "em busca do tempo perdido". No entanto, o romancista mesmo, em *À sombra das raparigas em flor*, nos ensina que "a sabedoria não se transmite, é preciso que a gente mesmo a descubra depois de uma caminhada que ninguém pode fazer em nosso lugar, e que ninguém nos pode evitar, porque a sabedoria é uma maneira de ver as coisas".

Sabedoria, uma maneira de ver as coisas! Claude Lévi-Strauss, antropólogo conterrâneo de Proust e, sem dúvida, o mais importante estudioso contemporâneo das culturas, escreveu em *O cru e o cozido* que "o sábio não é o homem que fornece as verdadeiras respostas; é o que formula as verdadeiras perguntas".

É necessário fazer outras perguntas, ir atrás das indagações que produzem o novo saber, observar com outros olhares através da história pessoal e coletiva, evitando a empáfia daqueles e daquelas que supõem já estar de posse do conhecimento e da certeza. Tempos de arrogância estes nossos! Muitos cientistas se arvoram em detentores da exclusiva posse da verdade, vários governantes assumem posturas petulantes ao recusarem a existência de concepções divergentes, inúmeros especialistas insistem na rejeição aos fatos em nome das teorias, variados líderes religiosos impedem o afloramento da quebra da alienação. Está rareando entre os altamente escolarizados e economicamente beneficiados a imprescindível modéstia sincera, aquela que nos permite enxergar limites nos nossos saberes e poderes.

Por isso, é imprescindível revisitar um monge beneditino que há aproximadamente 1.300 anos viveu na Inglaterra: Beda, que, além de ter sido santificado pela Igreja do período, era chamado também de o Venerável. Tamanha foi a erudição e honestidade narrativa que sustentou ao escrever uma trajetória de seu país – desde a ocupação romana até aqueles dias – que sua obra tornou-se referência para os estudos históricos medievais.

Um homem como ele, pleno de conhecimentos e admirado pela imensa capacidade intelectual, conseguiu não ser vítima da presunção que acomete a muitos e muitas nessa condição ou, até, longe dela; Beda nos legou (com validade indeterminada!) uma prescrição em forma de advertência, na qual diz que há três caminhos para a infelicidade (ou fracasso): 1) não ensinar o que se sabe; 2) não praticar o que se ensina; 3) não perguntar o que se ignora.

Uma tríade assim arremessa a ideia de sucesso para muito além do que muitos acreditam nos nossos modernos tempos; poderíamos dizer – retomando pelo positivo as três advertências de Beda – que o sucesso está na generosidade mental (ensinar o que sabe), na honestidade moral (praticar o que ensina) e na humildade inteligente (perguntar o que ignora). Nesse sentido, o ensinamento do monge está impregnado do que entendemos ser a sabedoria ou, mais ainda, a sapiência.

Mas, como bradava o sólido lema francês do ensaísta Montaigne – no século em que o Brasil era fundado – "que sais-je?" (que sei eu?)...

Destino, um confortável desejo

Mário Quintana, poeta modernista que por pouco não atravessou vivo todo o século passado, é autor de deliciosa obra de leitura do cotidiano (premiada em seu conjunto pela Academia Brasileira de Letras, na qual tentou por três vezes ingressar e foi derrotado); o gaúcho sempre foi um frasista militante de alta qualidade e durante anos publicou muitas dessas frases em jornais com o título de Caderno H (agrupadas e publicadas em coletânea no início dos anos 1970). Uma delas toca num dos temas mais recorrentes dos nossos momentos: a ideia de destino; disse ele que "o destino é o acaso atacado de mania de grandeza".

Destino ou acaso? Coincidência ou fatalidade? Determinismo ou liberdade?

Há uma angústia presente na necessidade de fazer escolhas e, mais ainda, ter de aceitar o resultado daquilo que se escolheu. Às vezes essa angústia se transforma em desgosto, sofreguidão, atribulação, sufoco, avidez, desassossego, inquietação. A melhor forma de justificar ocorrências, legitimar frustrações ou desculpar algumas emoções desvairadas é naturalizar a origem de tudo, isto é, colocar as causas dos fatos e comportamentos em um patamar fora da intervenção humana, como, por exemplo, o destino ou a natureza. Assemelha-se um pouco à Síndrome de Gabriela, uma apologia do "eu nasci assim, eu cresci assim, eu sou mesmo assim"...

O médico e escritor espanhol Gregorio Marañón, além de biografias e ensaios científicos, produziu fundamentais estudos em endocrinologia, especialmente sobre uma das vedetes de nosso tempo: a adrenalina; pouco antes da Segunda Guerra Mundial descreveu o papel das descargas e do nível desse hormônio para explicar os processos da emoção. Porém, sua sólida formação científica não o impediu de afirmar que "a pobre liberdade que os homens nos dão ou nos tiram quase nada representa ao lado da cadeia do destino herdado, que nasce enroscada em nossa alma e a vida mal pode afrouxar".

Essa apaziguadora interpretação da existência aparece inclusive em uma das poesias do filósofo Nietzsche, na qual faz menção a Epicteto – fundador do estoicismo na Antiguidade e criador da máxima "Suporta e abstém-te"; o filósofo alemão diz: "Destino, sigo-te! E mesmo que não o quisesse, deveria fazê-lo, ainda que gemendo".

É muito confortável proclamar a presença constante do destino; quando existe a convicção de que tudo "já está escrito" evita-se a turbulência mental que advém quando é preciso decidir, assumir ou, o que também é fulcral, enfrentar os responsáveis. É preciso prestar atenção no que disse o Nobel de Literatura de 1915, Romain Roland: "Os homens inventaram o destino a fim de lhe atribuir as desordens do universo, que eles têm por dever governar".

Talvez aí esteja a raiz de muitos dos tormentos espirituais, das aflições de consciência e das agonias pessoais: a perturbação por ter de assumir os riscos e consequências das opções que podem ser feitas por aqueles que superaram a indigência das condições materiais de existência e, portanto, atingiram a capacidade de ir além da mera sobrevivência física cotidiana. Esses, tal como nós, não são privados de arbítrio e, portanto, devem responder socialmente pelos encargos trazidos pela liberdade. A atitude expectante, aquela que fica no aguardo do que vier, supondo a representação involuntária de um enredo previamente elaborado por forças alheias ao nosso mundo, representa uma postura negligente e, até, irresponsável.

Deixa a vida me levar, vida leva eu?

Alegria: as bruxas continuam soltas...

Na Antiguidade o começo do mês por nós chamado novembro inaugurava uma série de celebrações religiosas das populações não cristãs no norte europeu. Para alguns desses povos o ano se iniciava exatamente nesse primeiro dia, com um novo ciclo vital, coetâneo com as necessárias colheitas agrícolas e provisão para o forte inverno que sempre viria. No mundo céltico, por exemplo, o período marcava-se por festividades druídicas que, por meio do acendimento de fogueiras e velas, procurava indicar a todos os espíritos, bruxas, fantasmas e demônios (que vagavam soltos sob o comando de Samhain, Senhor dos Mortos, desde a última noite do ano findante), o caminho para se afastarem do mundo humano.

Porém, quando o cristianismo robusteceu-se e passou, inclusive, a ganhar hegemonia social e econômica, uma das políticas adotadas pela Igreja da época foi buscar superar ritos e obrigações de outras religiões fazendo coincidir as próprias celebrações principais com as festividades concorrentes. Uma consequência dessa ação foi a oficialização de 1º de novembro como o Dia de Todos os Santos (ou Consagrados), há quase 1.200 anos, pelo Papa Gregório IV, assumindo uma festa cristã criada ainda no século 7; e, claro, como depois da homenagem aos santos é preciso lembrar das almas dos que a eles podem ter-se juntado, no século seguinte institui-se o Dia de Finados como o dia subsequente no calendário religioso.

A questão central, no entanto, é que não há ato oficial que impeça a irrupção das antigas convicções, dos temores seculares, das vivências religiosas e culturais, ou, até, das comemorações praticadas independentemente das hierarquias e do poder central. Por isso, mesmo com certa imposição majoritária, os povos do norte da Europa, e descendentes dos anglo-saxões em outras regiões, não abandonaram seus costumes mais recônditos e continuaram a honrar as crenças ancestrais: na Inglaterra Medieval, especialmente, a véspera de Todos os Consagrados (All Hallows Eve) permaneceu na memória e nas práticas como o *Halloween*, ou Dia das Bruxas entre nós.

Sendo o "último dia do ano" na contagem de muitos dos povos nórdicos, fica evidente que as inúmeras tentativas de predizer o futuro exigiam um recurso às forças sobrenaturais que se acreditava capazes de auxiliar ou prejudicar a vida; assim, uma das maneiras mais potentes para afastar a desgraça e atrair o beneplácito era tornar lúdico esse contato, por intermédio de máscaras grotescas, lanternas sinistras feitas com produtos agrícolas, fantasias tenebrosas.

O que leva um ser humano a acreditar em profecias ou a seguir determinadas crenças? Antes de mais nada, somos seres que têm noção de tempo (passado, presente e futuro); sabemos, também, que somos finitos e que a vida individual acaba. Não queremos acabar, a menos que se perca a esperança de viver diferente e melhor. Para tanto, desejamos saber, sempre, o que vai nos acontecer, isto é, o que é que vem pela frente; nossa insegurança em relação ao futuro e nossa busca em compreendê-lo leva, muitos, a procurarem explicações mais fantasiosas que, pelo menos, ofereçam alguma proteção contra o inesperado (mesmo que ele não seja bom). De uma certa forma, crer em espíritos malignos ou benignos, ou seguir práticas que os professam, é uma maneira de preparar-se e, minimamente, tentar controlar o desconhecido.

Feitiçaria, encantamento, bruxaria, superstição? Tanto faz; o que vale é poder brincar (ou levar a sério) a arte de interpretar os sinais desconhecidos e honrar os temores mais profundos.

Por isso, ecoa até hoje o apelo de Banquo dirigido à bruxa, nas palavras criadas por Shakespeare no Ato I de *Macbeth*: "Se tendes o dom de ler as sementes do tempo, e dizer quais hão de germinar, e quais não, falai!"

Um persistente cio

É muito interessante observar o quanto a ditadura da velocidade e do "não tenho tempo a perder" retiram do cotidiano das metrópoles (e de suas tristes simulações) uma das mais profundas maneiras de aproveitar, de fato, o tempo: a necessária paciência para a fruição, quase degustação lenta, dos movimentos de busca intensa do prazer originário do universo da leitura. Essa insana tacocracia, vivida sem reflexão, produz uma amarga rejeição à eroticidade inerente aos momentos nos quais é preciso entrar no cio emanado da leitura prazerosa, do mergulho intencional e povoadamente solitário que nos atinge quando nos abandonamos aos sussurros que vêm de dentro.

Por isso, ao escrever sobre *A arte de amar* (nela incluída a capacidade de não admitir a banalização do erótico no sexual), o psicanalista alemão Erich

Fromm – nas suas geniais tentativas de juntar as concepções de Marx e Freud, que tanto influenciaram a contracultura dos anos 1970 – nos advertiu que "o homem moderno pensa perder algo – tempo – quando não faz as coisas depressa; entretanto, não sabe o que fazer com o tempo que ganha, a não ser matá-lo".

Há frase mais tola do que a daquele ou daquela que diz "acho que, para passar ou matar o tempo, vou ler alguma coisa"... Ler um livro para matar o tempo? Não! Afonso Arinos de Melo Franco, importante jurista e político mineiro, conhecido mais por ser autor da primeira lei em 1951 contra a discriminação racial, mas que também era escritor (ingressou na Academia Brasileira de Letras em 1958, mesmo ano no qual foi eleito senador), escreveu em *A escalada* que "domar o tempo não é matá-lo, é vivê-lo".

Viver o tempo! Vivificá-lo, torná-lo substantivo e desfrutável. Ora, nada como um bom livro para fazer pulsar a vida no nosso interior, vida essa que, quando absortos na leitura, nos faz esquecer a fluidez temporal e nos permite suspender provisoriamente a mortalidade e a finitude. É um pouco a percepção que teve o russo Turgueniev, um dos principais escritores do século 19. Na inquietante obra *Pais e filhos* escreveu: "o tempo, que frequentemente voa como um pássaro, arrasta-se outras vezes que nem uma tartaruga; mas, nunca parece tão agradável como quando não sabemos se ele anda rápido ou devagar".

Mas, o que é um bom livro? A subjetividade da resposta é evidente. No entanto, é possível estabelecer um critério: um bom livro é aquele que te emociona, isto é, aquele que produz em ti sentimentos vitais, que gera perturbações, que comove, abala ou impressiona. Em outras palavras, um bom livro é aquele que, de alguma maneira, te afeta e impede que passe adiante incólume.

A emoção do bom livro é tão imensa que se torna, lamentavelmente, irrepetível. Álvaro Lins, crítico literário pernambucano que chegou a chefiar a Casa Civil do governo JK, fez uma reflexão no *Notas de um diário de crítica* que expressa uma parte dessa contraditória agonia: "Ah, a tristeza de saber, no fim da leitura de certos livros, que nunca mais os leremos pela primeira vez, que não se repetirá jamais a sensação da primeira leitura, que não teremos renovada a felicidade de ignorá-los num dia e conhecê-los no dia seguinte".

Certa vez o grande linguista e pensador brasileiro Flávio Di Giorgi pergunta a um aluno em um sarau na PUC-SP se ele já houvera lido a *Odisseia*, de Homero; o jovem, cabeça baixa, um pouco envergonhado, diz que não. Imediatamente, o professor, olhos umedecidos, diz a ele, voz embargada e com a sinceridade de sempre: "Te invejo; eu já li".

Assim – mesmo que quase tudo hoje em dia dificulte a urgência de vivificar-se com uma boa leitura, especialmente a estafa resultante do desequilíbrio e da correria incessante –, muitos não se deixam humilhar pelos assassinos do tempo; para impedir a vitória da mediocridade espiritual, há os que cantam com Djavan – na belíssima *Faltando um pedaço* – e sabem que "o cio vence o cansaço"...

CULTURAL

Administração
Antropologia
Biografias
Comunicação
Dinâmicas e Jogos
Ecologia e Meio Ambiente
Educação e Pedagogia
Filosofia
História
Letras e Literatura
Obras de referência
Política
Psicologia
Saúde e Nutrição
Serviço Social e Trabalho
Sociologia

CATEQUÉTICO PASTORAL

Catequese
  Geral
  Crisma
  Primeira Eucaristia

  Pastoral
  Geral
  Sacramental
  Familiar
  Social
  Ensino Religioso Escolar

TEOLÓGICO ESPIRITUAL

Biografias
Devocionários
Espiritualidade e Mística
Espiritualidade Mariana
Franciscanismo
Autoconhecimento
Liturgia
Obras de referência
Sagrada Escritura e Livros Apócrifos

Teologia
  Bíblica
  Histórica
  Prática
  Sistemática

VOZES NOBILIS

Uma linha editorial especial, com importantes autores, alto valor agregado e qualidade superior.

REVISTAS

Concilium
Estudos Bíblicos
Grande Sinal
REB (Revista Eclesiástica Brasileira)
SEDOC (Serviço de Documentação)

VOZES DE BOLSO

Obras clássicas de Ciências Humanas em formato de bolso.

PRODUTOS SAZONAIS

Folhinha do Sagrado Coração de Jesus
Calendário de mesa do Sagrado Coração de Jesus
Agenda do Sagrado Coração de Jesus
Almanaque Santo Antônio
Agendinha
Diário Vozes
Meditações para o dia a dia
Encontro diário com Deus
Guia Litúrgico

CADASTRE-SE
www.vozes.com.br

EDITORA VOZES LTDA.
Rua Frei Luís, 100 – Centro – Cep 25689-900 – Petrópolis, RJ
Tel.: (24) 2233-9000 – Fax: (24) 2231-4676 – E-mail: vendas@vozes.com.br

UNIDADES NO BRASIL: Belo Horizonte, MG – Brasília, DF – Campinas, SP – Cuiabá, MT
Curitiba, PR – Fortaleza, CE – Goiânia, GO – Juiz de Fora, MG
Manaus, AM – Petrópolis, RJ – Porto Alegre, RS – Recife, PE – Rio de Janeiro, RJ
Salvador, BA – São Paulo, SP